HAPPY BIRTHDAY!
100
100
100
100

いわいさんちのリベットくん

TOSHIO IWAI
岩井俊雄

紀伊國屋書店

はじめに

「ねぇパパー、おもちゃ買ってー」「えっ、もういっぱい持ってるじゃない！」「だってつまんないんだもの！ 新しいおもちゃ欲しいー」…小さな子どもたちの遊びたい欲にはキリがありません。

でも、高いお金を出して買ってあげたおもちゃなのに、子どもが意外とすぐに飽きてしまった、なんてことありますよね？ もしくは、欲しがるままに買ってあげたおもちゃが、部屋に雑然ところがっていて、子どもを見ていると、あっちのおもちゃ、こっちのおもちゃととっかえひっかえで、結局集中して遊んでいない、扱いが乱暴でついには壊れてしまいゴミ箱へ…そんなことになってがっかりされていませんか？ わが娘のロカちゃんはそうでした。

そのくせ一方で、我々のほうも、子どもには買ってきたおもちゃを与えておけば大丈夫、と内心思っていたりしますよね。おもちゃを買うことでしか、子どもとコミュニケーションを取れないお父さんもいるかもしれません。実は何をかくそう、僕がそうだったんです。

そんなところが少しでも思い当たるみなさんに、もしかしたら、これからご紹介する紙の手作りおもちゃ「リベットくん」が、役に立つかもしれません。うまくいけば、お子さんのおもちゃに対する向き合い方や、親子の関係を変えるかも?…ちょっと大げさかな? でも、わが家では、この「リベットくん」をきっかけに本当に変わったんです。ロカちゃんと一緒に「リベットくん」を作り、遊ぶうちに、徐々に親子の距離が縮まり、以前よりずっと充実した時間を持てるようになったのです。

詳しくは、後ほどお話しするとして、まずは、わがいわいさんちの「リベットくん」がどんなものか、ページをめくって見てみてください。作り方・遊び方を順を追ってご紹介しています。そしてだまされたと思って、お子さんの目の前でひとつでもふたつでも、試しに「リベットくん」を作ってあげてみてください。きっとお子さんの目が輝いてくるはずです!

もくじ

もっとつくろうリベットくん

身の回りのもの

ナリちゃんとサンタさん

くふうしてみようリベットくん

しかけのあるものに挑戦

リベットくんはこんなおもちゃです

◎「リベットくん」とは何でしょう?
わが家で僕とロカちゃんが夢中になった「リベットくん」はこんなおもちゃです。

1

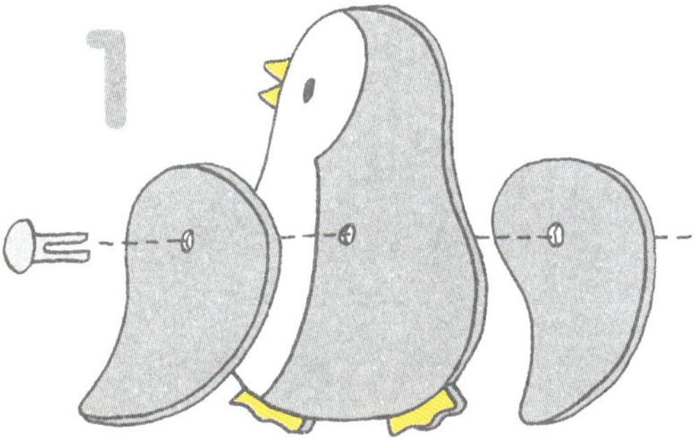

「リベットくん」は、僕が娘のロカちゃん(当時2才)のために作り始めた紙のおもちゃ。人や動物のパーツをリベットでつないで、ポーズを変えて動かせるようにした人形です。この、手で動かせるというのが大事なところ。

2

「リベットくん」の材料は、厚紙とリベットだけ。とても安上がりです。厚紙にパーツの絵を描いて切り抜き、リベットで留めれば、すぐにできあがり。子どもの目の前でスピーディに作れるところもポイントです。

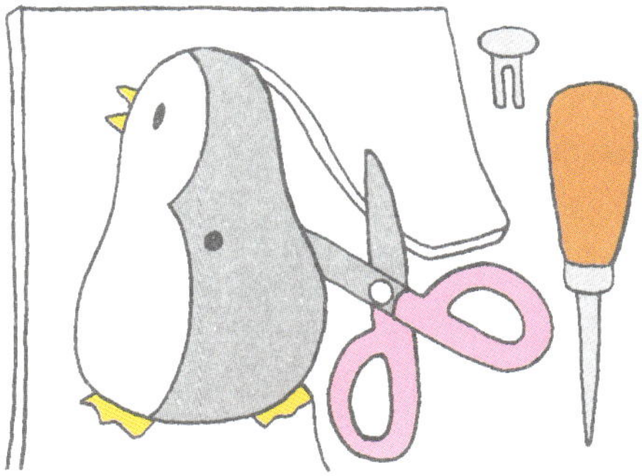

3

親子一緒に作るのが「リベットくん」の基本。子どものリクエストに答えたり、それに親が触発されて新しいアイデアを思いついたりと、親子のコラボレーションが楽しい!

4

できた「リベットくん」は、それぞれ手に持って動かしながら、その役になりきって即興の会話を楽しみます。子どものユニークな発想で、お話は意外な展開になることも。

5

遊んでいるうちに、必要なものや次のアイデアが浮かんだら、すぐにまた新しい「リベットくん」を作ります。この〈作る→遊ぶ→作る〉の繰り返しで「リベットくん」は、いつのまにかいっぱいに。

6

「リベットくん」が増えれば増えるほど、お話は複雑になります。そして一度「リベットくん」の世界ができあがると、親が相手できなくても夢中になって遊んでくれるようになります。忙しいときは大助かり。

7

そのうえ「リベットくん」は、平面的で軽いのでどこに持って行くのも簡単。紙の封筒などに入れて持ち運べます。しまっておく場所も取りません。

◎なんだか面白そうでしょう？
では、その「リベットくん」の作り方と遊び方を、順にご紹介しましょう！

COLOR MASTER
◀Brush
Extra fine▶

足割リベット
No-2
サイズ
12個
MONO
PLASTIC ERASER
TOMBOW

リベットくんの材料です

◎リベットくんに必要な材料は、とてもシンプル。
「厚紙」と「リベット」です。

厚紙

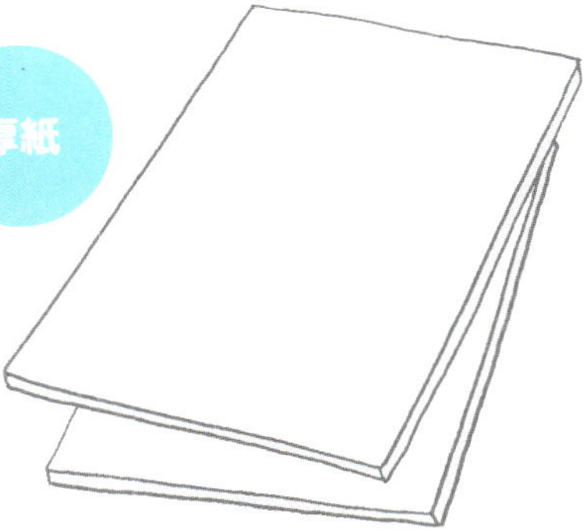

まずは、ボール紙などの厚紙を用意してください。絵を描いたり、色を塗ったりしたいので、白くてあまり表面がツルツルしていない厚紙がよいです。なるべくしっかりした厚みの紙を使うと、何度遊んでも壊れにくい丈夫なリベットくんが作れます。

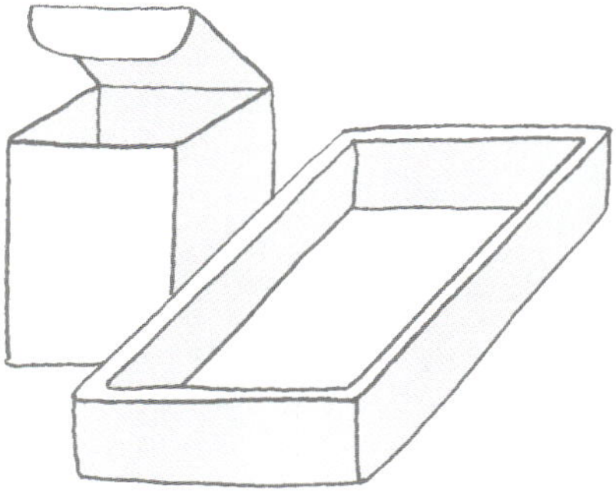

ボール紙なら、文房具屋さんで簡単に手に入ります。でも、わざわざ買ってこなくても、まずはお菓子の箱など、身の回りにあるボール紙を探してみましょう。ワイシャツを買うと袋に入っているボール紙などもいいですね。

リベット

リベットくんで使う「リベット」は、正確には「足割リベット」というものです。一般的には「割ピン」とも言います。その昔、子ども雑誌の組み立て付録に、よく割ピンがついていたことがあるので、懐かしく思われるお父さん、お母さんも多いでしょう。

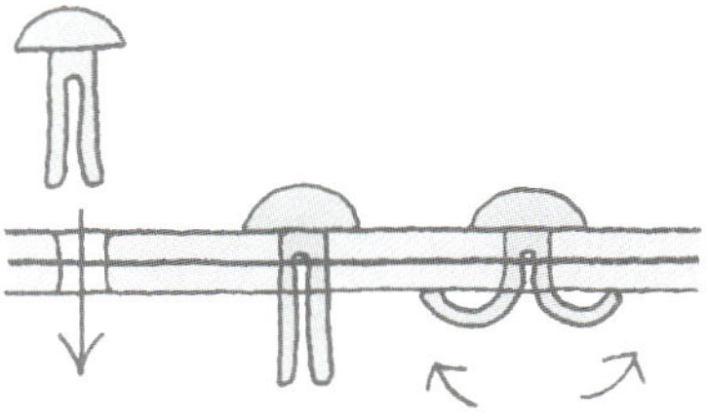

「足割リベット」「割ピン」は、アルミや真ちゅうでできていて、紙を重ねて留めるための足が2本あり、簡単に曲げられるようになっています。

このリベットが、リベットくんを作るのに、最も大事なものですが、少し手に入れるのが難しいかもしれません。リベットに関する詳しい情報は、124ページをご覧ください。

リベットくんを作る道具です

◎厚紙に絵を描いて、切り抜く。そしてリベットの穴をあける。
リベットくんを作るために必要な道具もとてもシンプルです。

描く

まず必要なのは、厚紙にリベットくんのパーツの絵を描くための画材です。基本的に、厚紙に描ければなんでもよいです。身近にある、鉛筆やペンから始めてみましょう。色をつけるときは、マーカー、えのぐ、色鉛筆など。手で触って遊ぶものなので、こすって色が落ちるクレヨン、パステルなどはおすすめしません。

切り抜く

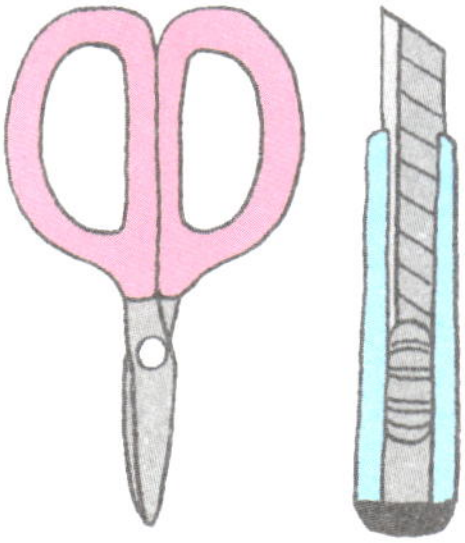

次に、厚紙に描いたパーツを切り抜くための道具です。ハサミやカッターナイフなど、厚紙を安全に切れるもの。基本はハサミを使い、ハサミで切りにくい部分や、穴を抜くときにはカッターナイフを使うといいですね。

穴をあける

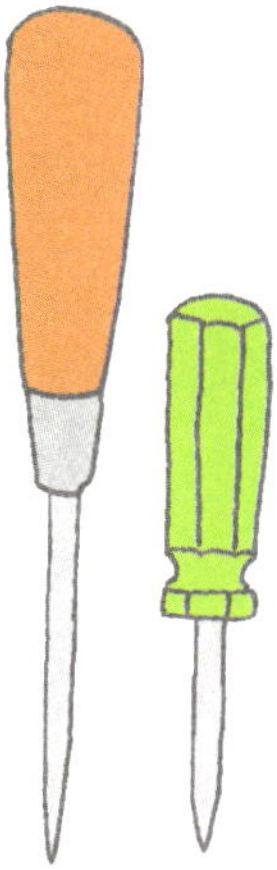

あと、リベットを通す穴をあける道具、キリや千枚通しなどが要ります。例えばドライバーセットに、先のとがったキリが入っていないでしょうか？　他には、裁縫用の「目打ち」も使えますね。

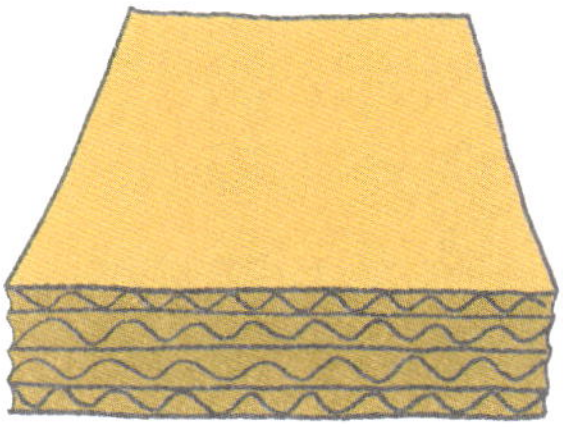

ダンボールを3～4枚重ねて、テープなどで止める。

穴をあけるときには、危なくないように、また机やテーブルを傷つけないようにこのような専用の台を用意すると便利です。

※切ったり、穴をあけたりする作業は危ないので大人がやってあげましょう。

はじめてみようリベットくん
ペンギンさん家族を作ろう

ペンギンさんを作ろう

◎さあ、ここからはペンギンさんを例に、リベットくんの作り方の基本を見ていきましょう。
リベット1つで留めるだけなので、すぐに作ることができますよ。

1 パーツの分け方を考えます

手や足など、動かしたい部分を別々のパーツにするのがリベットくん作りの基本です。ここでは、ペンギンさんを体と羽2枚の3つのパーツに分けてみましょう。

2 厚紙にパーツの絵を描きます

さっそく厚紙にペンやマーカーでパーツをそれぞれ描きましょう。絵が苦手な人は、右ページの絵を真似して描いてみてください。ちょっと太めの線で描くと、あとで切るのが楽です。

3 色を塗ります

好きな色を塗りましょう。色鉛筆、マーカー、えのぐなど、身近にある画材を使ってみましょう。

これが、原寸大のペンギンさんのパーツです。参考にしてくださいね。

4 パーツを切り抜きます

次に、描いたパーツをそれぞれハサミでていねいに切り抜いてください（ハサミで切りにくいところはカッターナイフを使ってもよいです）。

5 穴をあけます

リベットでつなぐ部分にキリや千枚通しで穴をあけます。パーツを重ねて、穴の位置はどこが一番よいか考えて、一度にあけると簡単です。

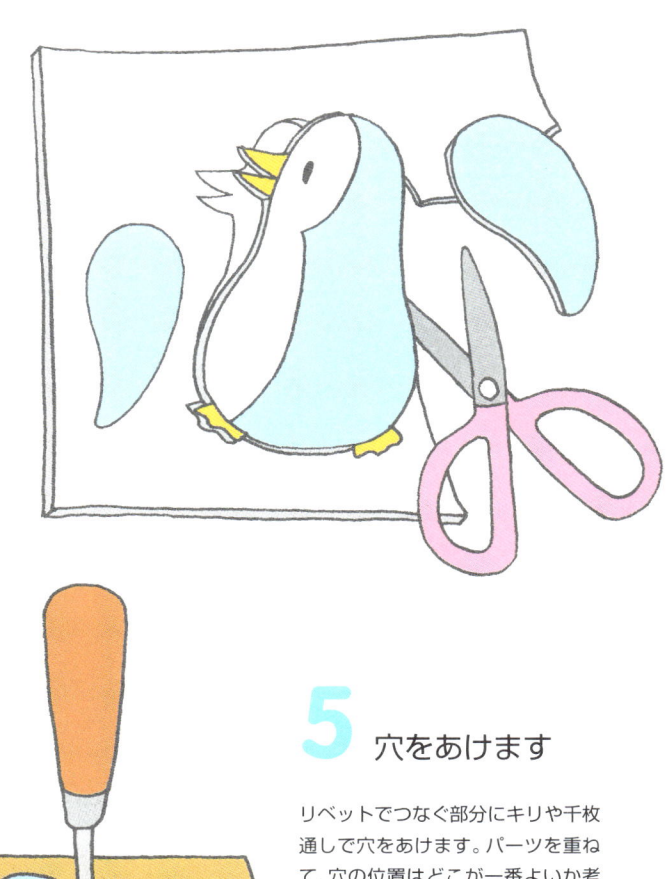

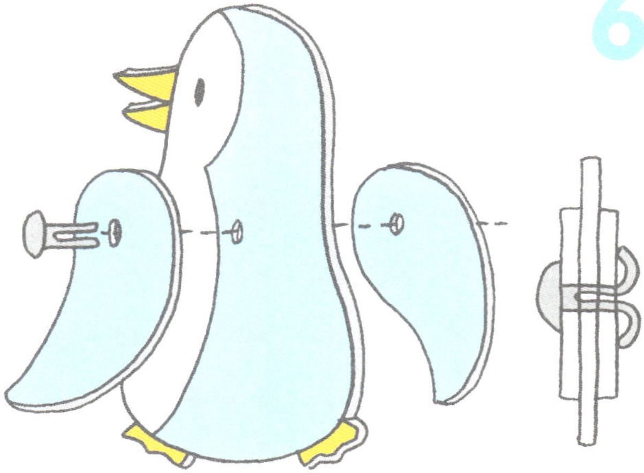

6 パーツ同士をリベットでつなぎます

いよいよ穴にリベットを差し込みます。裏側は、リベットの足を曲げて抜けないようにします。リベットの足の先が危なくないように、しっかり曲げましょう。

7 できあがり!

羽がうまく動くかどうか確かめましょう。固くて動かしにくかったり、逆にゆるすぎる場合は、リベットを締め直します。

◎どうですか？　簡単でしたね!

ポーズをつけてみよう

◎ペンギンさんが完成したら、さっそく動かしてみましょう。
いろいろなポーズをつけてみてください。

歩いてます。

走ってます！

うわ、びっくり！

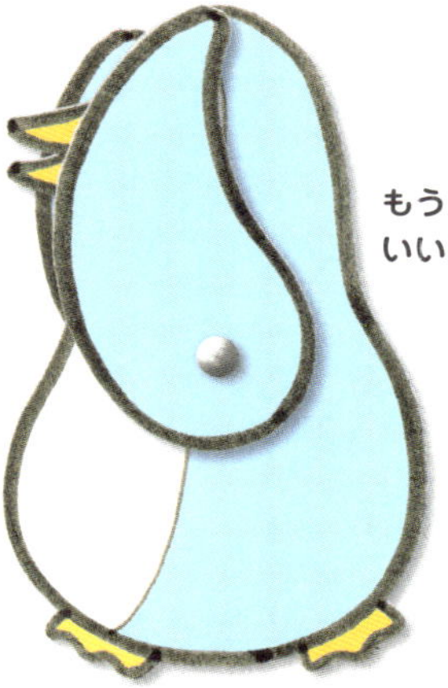

もう
いいかーい？

頭で逆立ち～

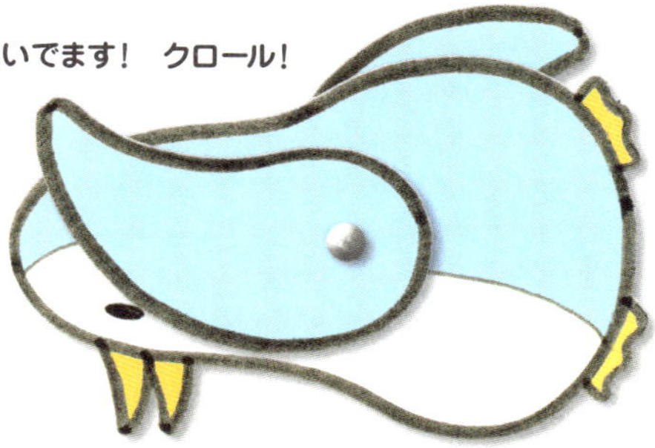

泳いでます！　クロール！

いろいろなポーズを考えてみましょう。
ポーズをつけながら、セリフを声に出してみると
子どもに受けますよ。

家族を作ろう

◎次は、ペンギンさんの家族を作ってみましょう。
色と大きさを変えれば、いろいろなヴァリエーションができます。

子どもペンギン
◎パーツ×3
◎リベット×1

ペンギンパパ
◎パーツ×3
◎リベット×1

ペンギンさんの大きさを小さくして、色を変え、くちばしを短くすれば、簡単に子どもペンギンのできあがりです。

ペンギンママ
◎パーツ×3
◎リベット×1

ペンギンママはピンク色にして、エプロンをつけました。まつげもあります。

赤ちゃんペンギン
◎パーツ×3
◎リベット×1

ペンギンの赤ちゃんは、髪の毛が特徴です。思い切って小さく作りました。

子どもペンギンの色はグレーにしました。本物のペンギンの子どもを意識してこの色にしました。

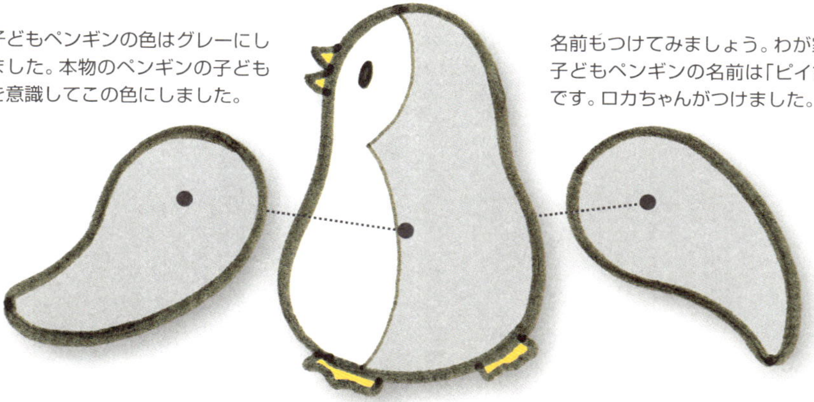

名前もつけてみましょう。わが家では、子どもペンギンの名前は「ピイちゃん」です。ロカちゃんがつけました。

ペンギンママだけは右向きにしてみました。会話をしたり、赤ちゃんを抱っこするのに便利です。

ママのエプロンはちょっと細かいです。好きな模様を考えてみましょう。エプロンの色を変えてもいいですね。

赤ちゃんの名前は「ピヨちゃん」。わが家の次女、ゆゆちゃんがモデルです。

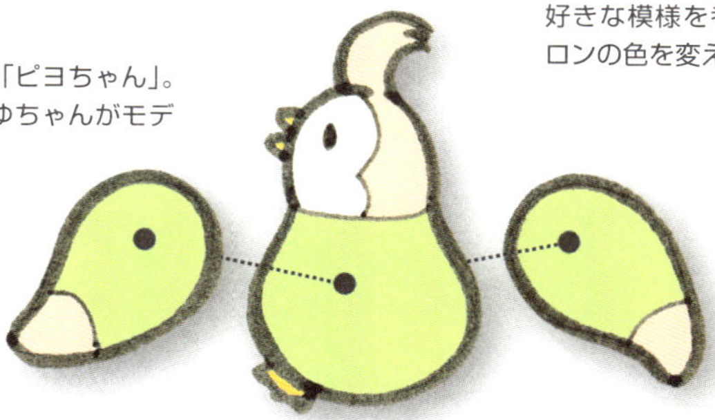

赤ちゃんペンギンは、ベビー服を着ています。

持ちものを作ろう

◎ペンギンさん家族の持ちものを作ってみましょう。
アイテムが増えるとすごく楽しいです。

ペンギンさんたちに持たせるカバンとカサです。

カバン
◎パーツ×2
◎リベット×2

カサ
◎パーツ×2
◎リベット×1

ミルクとガラガラ
◎パーツ×各1

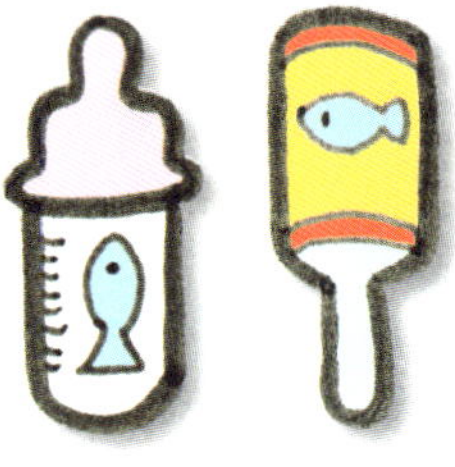

赤ちゃんに、ミルクとガラガラを作ってあげましょう。

ベビーカー
◎パーツ×5
◎リベット×3

ペンギンの赤ちゃんを乗せられるベビーカーです。フードやハンドルの部分の角度が変えられます。

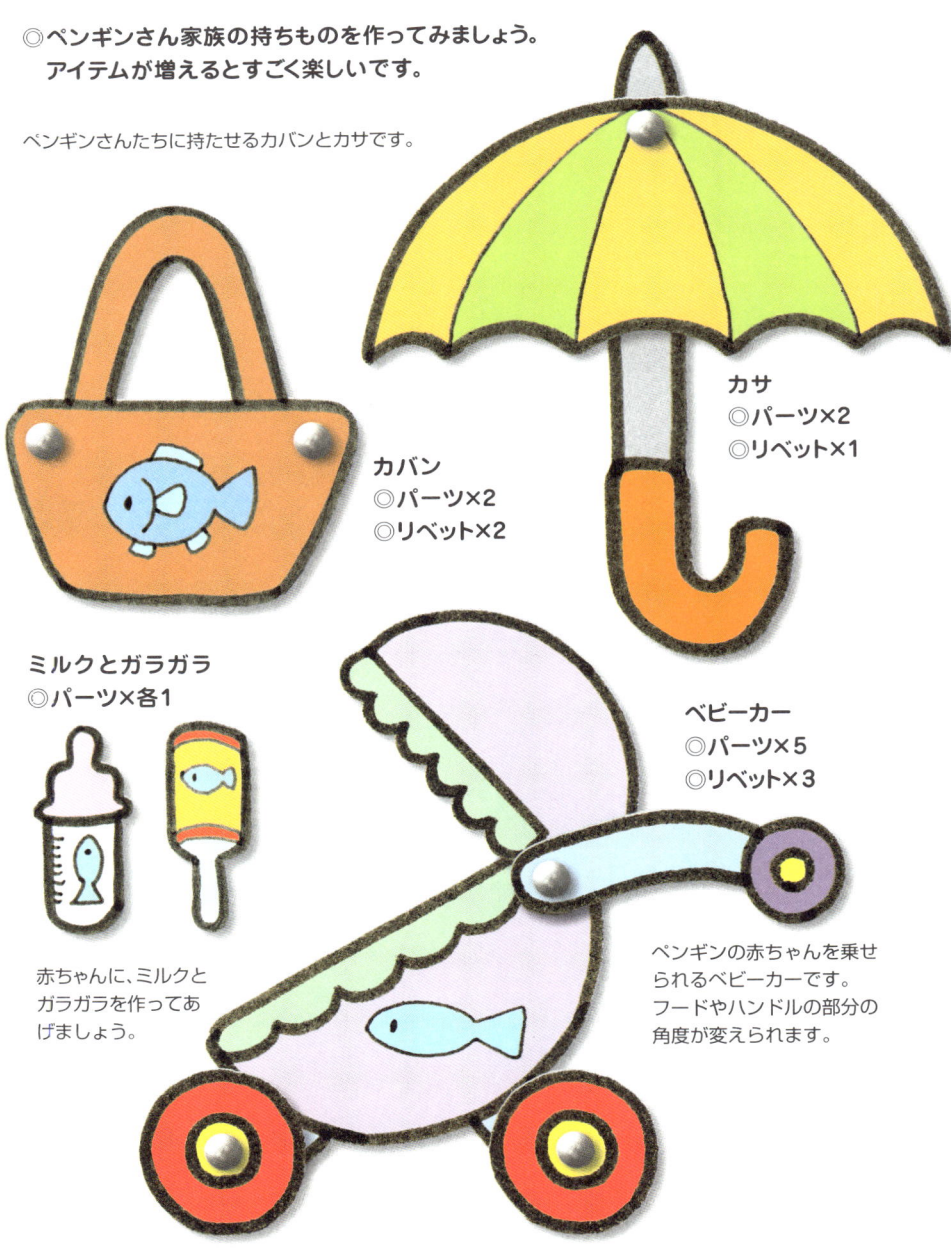

カバンの取っ手はペンギンさんに
持たせられるようにカッターナイフ
で切り抜きます。

カサの柄の部分は、リ
ベットを留めやすくする
ために、ちょっと太めに
描きましょう。

カバンは小物をはさめるように
二重にします。

ベビーカーは
ちょっと複雑ですが、
挑戦してみて
ください。

ミルクとガラガラは、リベットを使わ
ずに、描いた絵を切り抜いただけです。

組み合わせてみよう

◎今度は、これまでにできたペンギンさん家族や持ちものを組み合わせてみましょう。
組み合わせ方やポーズをいろいろ変えて遊んでみましょう。

パーツとパーツのすきまを使うと、ペンギン同士をうまく組み合わせることができます。だっこしたり、おんぶしたり……これが、平らなリベットくんならではの面白さです！

ペンギンママに赤ちゃんをだっこさせてみました。

ペンギンパパが、子どもペンギンを肩車しています。

ペンギンさんたちそれぞれに、好きな持ちものを持たせてみましょう。体と羽のパーツのすきまにアイテムをはさんで、しっかり持たせてあげてください。

「お買い物バッグを持って、おでかけよ。
ミルクを買ってこなくちゃね」

「今日は日差しが強いから、
日傘を差していこうよ」

ガラガラガラ

「バブー」

「ベビーカー押してあげる!」

赤ちゃんペンギンの羽と体の間にベビーカーをはさむとうまく乗せることができます。

お話を考えよう

◎子どもと一緒にリベットくんをそれぞれ持って会話をするうちに、自然とお話の断片が生まれてきます。空想をふくらませてストーリーを考えてみましょう。

こんなふうに、シチュエーションを想像しながら会話してみましょう。ちゃんとしたストーリーになってなくても大丈夫、リベットくんたちの世界を空想しながらお子さんとの会話を楽しみましょう。

こんなふうに遊んでみよう

◎リベットくんを使って楽しく遊ぶためのヒントを書いておきますね。

●全部くっつけてみよう

作ったリベットくんを、とにかく全部つないでみましょう。手で持ち上げても離れないように、パーツのすきま同士を使ってつなぎます。どんな面白いつなぎ方ができるでしょうか？

持ちものばかりをくっつけると変なオブジェに？

「パパーおんぶして〜」
「バブー!」「重いよー」

ペンギンさん家族と持ちものを全部つないでみました。

●意外な組み合わせを考えよう

カバンやカサなどの道具を普通に持たせるだけでなく、他のものに見立てて使います。
さかさまにしたり、変わった組み合わせをしてみると、面白いお話のきっかけにも。

「カサの船に乗って
出発！」

「カバンが帽子に
なっちゃった」

「わー！ベビーカーに
食べられる～」

赤ちゃん
ペンギンは
実は力持ち？

●身の回りのものを使って遊ぼう

空き箱をペンギンさんたちの家に見立てたり、ハンカチやタオルを赤ちゃんペンギンのベッドにするなど、家にあるものを使って遊びましょう。ティッシュの箱や文房具など、ちょっとしたものがイメージを広げるアイテムになるはずです。

ロカちゃんが作ったリベットくん

◎ここにあるのは、ロカちゃんがひとりで作ったリベットくんです。
色の塗り方も切り方も雑だけれど、とても味があっていい感じです。

テーブルの上の食器や食べものが、かなり細かく作ってあって感心しました。

リベットくんが生まれたとき

◎ペンギンさん家族ができあがったところで、ちょっと休憩です。
ここで、リベットくんがどうやって生まれたか、その秘密をお話ししましょう。

リベットくんを初めて作ったのは、忘れもしない2003年1月のこと。ロカちゃんが2才と10ヶ月のときです。実はその頃、僕は父親として悩んでいました。一生懸命子育てをしているママに比べて、自分はちっともわが娘に父親ならではのことをしてあげられていないなあ、と焦っていたのです。特に僕が子どもの頃、父がよく一緒に工作をして遊んでくれたことが、僕にはとても大事な思い出であり、その後ものづくりを職業に選んだきっかけでもあったので、父親になったらあんなふうに子どもと付き合えるようになりたい、というイメージが昔からありました。しかし現実には思うようにいきません。仕事が忙しくてなかなか家にいられない。2才の女の子とどう向き合えばいいのかよくわからない。ロカちゃんの気を引きたいときは、つい新しいおもちゃを買ってしまう——そういう自分を情けなく思っていました。

また、自分の仕事との葛藤もありました。それまで、メディアアーティストとして、コンピュータや映像機器などのハイテクを使って、子どもから大人まで誰もが楽しめる作品を作ってきた自負があったのですが、いざ自分の子どもと向き合うことになってみたら、ひとりの親として、小さな娘にいきなりハイテクは与えたくない、と感じてしまったのです。娘が喜ぶものを作ってあげたい、でも自分の得意なハイテクは使いたくない、というジレンマに陥っていました。

とにかく何かしなくては——その年のお正月、僕はロカちゃんの目の前で絵を描くことにしました。まず紙に色鉛筆で描いたのは、動物園の入口です。「ロカちゃん、これは〈ロカちゃんどうぶつえん〉っていうんだよ。中にはどんな動物がいるかな?」ロカちゃんは、ちょっと興味を持ったようでした。(しめしめ)と思いながら、「ほら、ゾウさんがいた! そしてこっちにはライオン」と、次々に動物の絵を描いていきました。心の中では(こんなに絵を描いてくれるパパはそういないんだよ…)とちょっと得意になりながら。

ところが…「あれ…?」いくつも動物を描いたあと、ふと気がつくとロカちゃんはもうこちらを向いていませんでした。見れば、彼女の目はテレビに釘付けです。「ロカちゃん、もっとパパと遊ぼうよ!」と呼び戻しても、今度はせっかくこちらが描いた絵の上にらくがきを始める始末。完全に空振り、そして自信喪失…。ただ絵を描くだけでは、子どもは喜んでくれない。やっぱり売り物の絵本やおもちゃやテレビにはかなわない、と痛感したのでした。

あまりにショックだったので、ますます真剣にどうしたらロカちゃんの気を引くことができるか考え始めました。でもなかなかいいアイデアは出てきません。10日ほど悩んだあと、ふと思いついて家にあったお菓子の箱のボール紙で人形を作ってみることにしました。カンガルーの体を、頭、足、しっぽと別々に分けて描いて切り抜き、それをタコ糸でつないで、関節が動かせる人形にしてみたのです。

「ほら、カンガルーだよ!」 できたばかりのカンガルーを受け取ると、急にロカちゃんの反応が変わりました。まるで新しいぬいぐるみやおもちゃを買ってもらったかのように、ロカちゃんの目が輝いたのです。カンガルーのおなかのポケットには赤ちゃんが入っていて、クルッと回すと顔を出します。ロカちゃんは「キャハハ!」と笑いながら、何度もカンガルーの赤ちゃんを出したり引っ込めたり。それを見て、僕はこれだ! と確信しました。

考えてみると、紙に描かれただけのカンガルーは、子どもにとって触れも動かせもしない単なる絵です。ところが、その絵を切り抜いてパーツをつないだだけで、同じように平面的でも、「絵に描いたカンガルー」が、触って動かせる「生きたカンガルー」に変わるのです。思い返せば、僕自身も子どもの頃、動かないプラモデルより、電球が光ったりモーターで動いたりするおもちゃが大好きでした。自分で動かせるものが、どんなに魅力的だったかを思い出しました。

翌日、僕はさっそくもっといい材料はないか探しに東急ハンズへ向かいました。見つけたのは、関節を簡単に留められる「足割リベット」です。家に帰ってきて、すぐロカちゃんに「昨日のカンガルーみたいなの、パパが何でも作ってあげるよ。何がいい?」と聞きました。すると、ロカちゃんからは、すぐに答えが返ってきました。それは「ペンギン!」です。当時クレイアニメの「ピングー」をよく見ていたからかもしれません。でもピングーを作ってもつまらないので、自分なりのペンギンを描いて水色に塗り、買ってきたリベットで組み立てました。できあがったペンギンに、ロカちゃんは大喜びです! リクエストしたものが、目の前ですぐにおもちゃになったのですから、それはうれしいに違いありません。僕も気をよくして、「次は何がいい?」と聞きました。

次のロカちゃんの答えは「もうひとつペンギン!」でした。(え、また?)と思いつつ、そうだ! と、2匹めのペンギンは王冠や勲章をつけた王様にして、紫色に塗ることにしました。さらに王様を作っている間、ちょっとした遊びを思いつきました。人形劇のように王様と水色のペンギンに会話をさせてみたくなったのです。想像したのは、王様が家来に何かを命令しているところです。即興で声色を使って「わしはペンギンの国の王様じゃ! そこの水色のペンギンくん、わしの頼みを聞いてくれるか?」「はい、王様!」 僕がペンギン2匹を両手に持って、話を始めると、ロカちゃんは目を丸くして、身を乗り出してきました。そこで、僕は「ねえねえロカちゃん、王様が水色のペンギンさんに何か探してきてって言ってるよ。何を探して欲しいのかな?」と聞いてみたのです。すかさずロカちゃんが答えたのは「カギ!」でした。

「カギ!?」 僕は、(なんでカギなんだろう…?)と思いながら言われるままにカギを描いて切り抜きました。でも、またこちらにもいい考えが浮かびました。(カギを探している、ということは、カギを失くして開けられないものを王様が持っているはず。何だろう? 部屋のトビラかな…いや王様だから、宝の箱だな!) そう思いついたら、すぐに宝箱を作らずにはいられません。

王様が水色のペンギンに話します。「ペンギンくん。わしは宝箱を持っているのじゃが、カギを失くしてしまって開けられないで困っておる。なんとかカギを見つけてきてくれんかのう?」「わかりました、王様!」 先ほどのカギを、ロカちゃんが「はい、これだよ!」と言って、水色のペンギンに渡します。「王様! カギが見つかりました! これですか?」「おお、これはまさしくわしが探していたカギじゃ! ありがとう! さっそく、宝箱を開けよう」…と、ここまで演じたところで、またロカちゃんに聞きました。

「ねえ、ロカちゃん。王様の宝箱の中には何が入っていると思う?」 するとロカちゃんは、すぐさま「カードだよ!」と叫んだのです。(カ、カード???) そのあまりにも迷いのない意外な答えに笑ってしまいました。子どもの脈略のない発想は、本当に面白いのです。でもこちらも負けてはいられません。その場で小さなカードを切り抜き、その上に王様の絵を描きました。そして、先ほどの続きです。

「さあ、さっそく開けてみよう。ガチャリ」 ロカちゃんにカギを持たせ、宝箱を開けるまねをさせます。そして、宝箱の後ろから先ほどのカードを取り出し、こう言いました。「おお、これはわしが王様になったときに作られた記念のカ

ード！ 久しぶりに見れてうれしいのう！」——なんて面白い遊びなのでしょう！今までこんなにロカちゃんと充実した時間を持てたことはなかったなあ、と思いながら、しばらくこのペンギンたちとの遊びを夢中になって続けたのでした。

それから毎日のように、ひまさえあれば（というより仕事そっちのけで）僕はロカちゃんと一緒にこのリベットの人形遊びに没頭しました。ロカちゃんのリクエストに答えて何かを作り、会話を始めると、思いもよらない物語が生まれてきます。最初の水色ペンギンにも家族ができ、家ができ、友達も増えてどんどんとイメージがふくらんでいきました。

同時に、厚紙とリベットだけでも、いろいろな仕掛けが考えられることに気がつきました。ハイテクなど使わなくても、十分子どもの喜ぶものが作れる——これは、子どもにハイテクを渡すことに迷いがあった僕にとっても大きな自信になり、また自分の仕事を見直すきっかけにもなったのです。その後、リベットを使った人形は増え続け、そのうちこれらをわが家では「リベットくん」という名前で呼ぶようになりました。

考え、作り、動かし、演じ、空想をふくらませる——そうしたいろいろな要素がリベットくんの遊びにはあります。それらが教育的にどれほど価値があるのかわかりませんが、少なくともリベットくんのおかげで、僕とロカちゃんはふたりだけの充実した時間を過ごせるようになったのは確かです。そういえば、リベットくんを始めてすぐに、とてもびっくりしたことがあります。僕がリベットくんを作る間、ふと気がつくと、ロカちゃんがじっと静かに僕の手元を見つめていました。それまでは普段、静かにしなさい！ といくら言ってもきかなかったのに、うってかわった真剣な目つきで、できあがりつつあるリベットくんを見つめるロカちゃんがそこにいたのです。ものが生み出される瞬間に向き合って、この子の頭の中で何かがスパークしているんだなあ、と考えたら、思わずジーンときてしまいました。ものづくりの楽しさを子どもの頃に父親から教えてもらった僕は、そのことだけでも、リベットくんを作って本当によかった、と思ったのでした。

リベットくんを作り始めて3ヶ月ほど経った頃のロカちゃん（当時3才）。全部のリベットくんをずらりと床に並べてご満悦です。

→次のページに、初期の頃に作ったリベットくんを並べてみました。

ICECREAM

MILK

横向きの人の基本形

◎さあ、ここからは人や動物のリベットくんの作り方を順に説明していきます。
まずは、横向きの人を作るときの基本を見ていきましょう。

横向きか正面向きかで、作り方や動かし方、見た目の印象がずいぶん変わります。

横向きの人は、リベットの数が2つだけで済むのと、アイテムなどを持たせやすいのが特徴です。

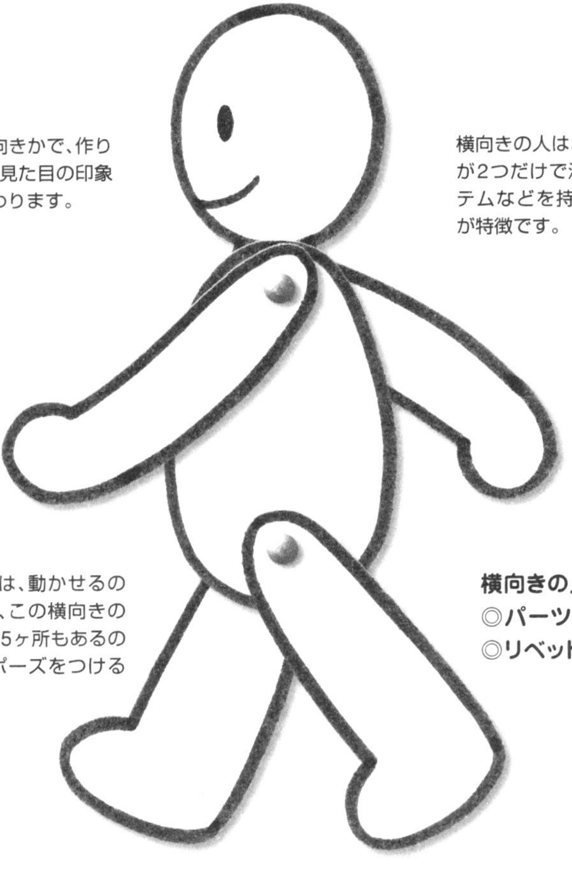

ペンギンさんたちは、動かせるのが羽だけでしたが、この横向きの人では、頭、手、足と5ヶ所もあるので、さらに複雑なポーズをつけることができます。

横向きの人基本形
◎パーツ×6
◎リベット×2

何をしているところか想像しながら、いろいろなポーズをつけてみましょう。

横向きの人のパーツは、このようになっています。この基本形を元に、髪の毛や洋服などを描き足して、オリジナルの人を作ってみてください。

この図のような順番でパーツを重ねてリベットで留めます。

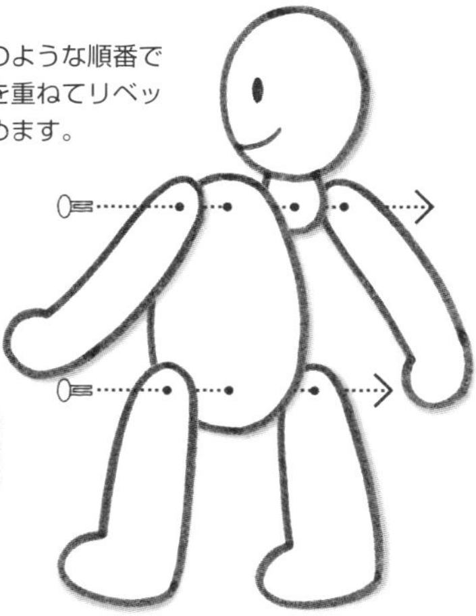

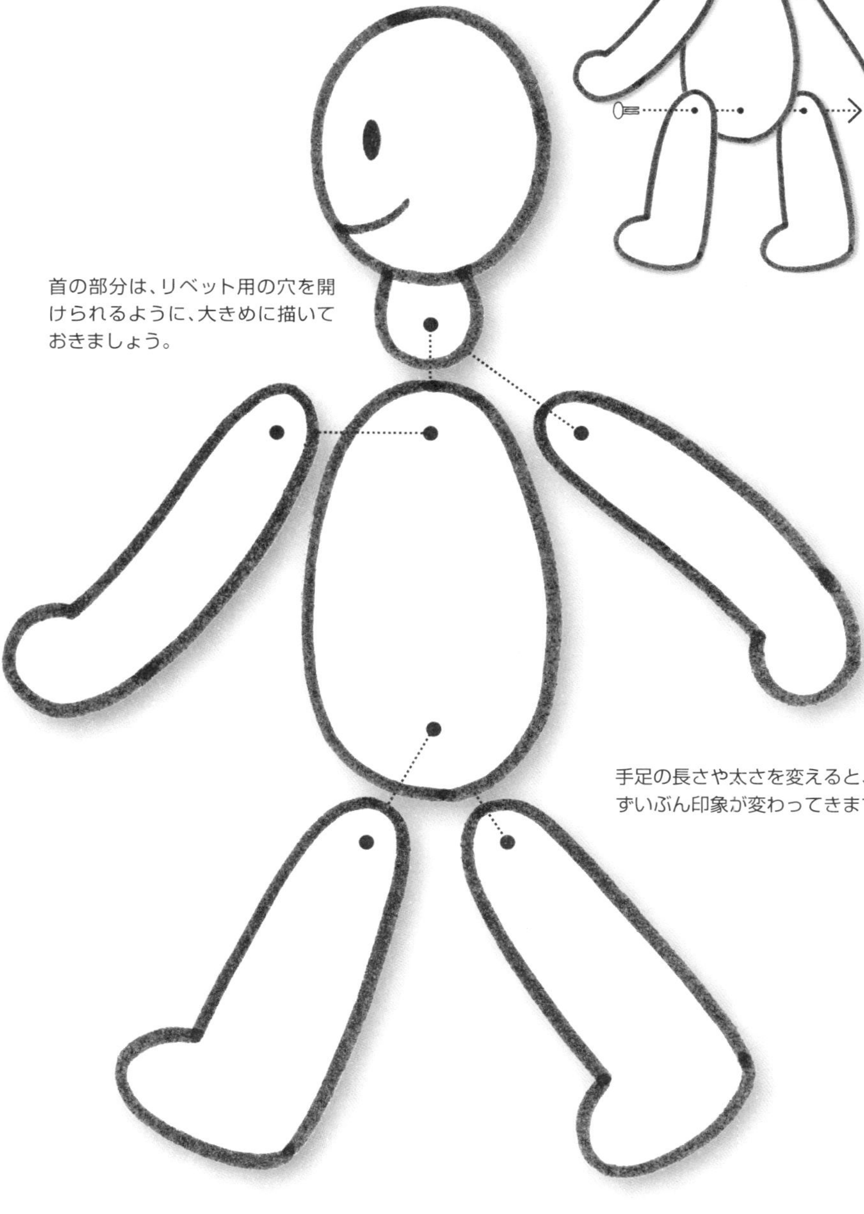

首の部分は、リベット用の穴を開けられるように、大きめに描いておきましょう。

手足の長さや太さを変えると、ずいぶん印象が変わってきます。

横向きの人いろいろ

◎横向きの人の基本形に髪の毛や服を書き加えるといろいろな人が作れます。
男の子と女の子をそれぞれ描いてみましょう。

男の子
◎パーツ×6
◎リベット×2

女の子
◎パーツ×6
◎リベット×2

男の子のほうは向きを逆にして、ふたりが向かい合わせになるようにしました。

ふたりとも、服の中から足が出るように、胴体の後ろ側に両足とも留めることにしました。

このように、手足と服をうまくパーツに分けて描きましょう。
服の形や模様、色は自由に変えてみてください。

正面向きの人の基本形

◎横向きの人とは別に、正面向きの人の基本形も説明しておきましょう。
これもいろいろなものに応用ができますよ。

正面向きの場合は、リベットが5本も必要ですが、顔を前から描けるので表情を出しやすいです。

こちらも横向き同様、リベットを留める首の部分をしっかり描いておきます。

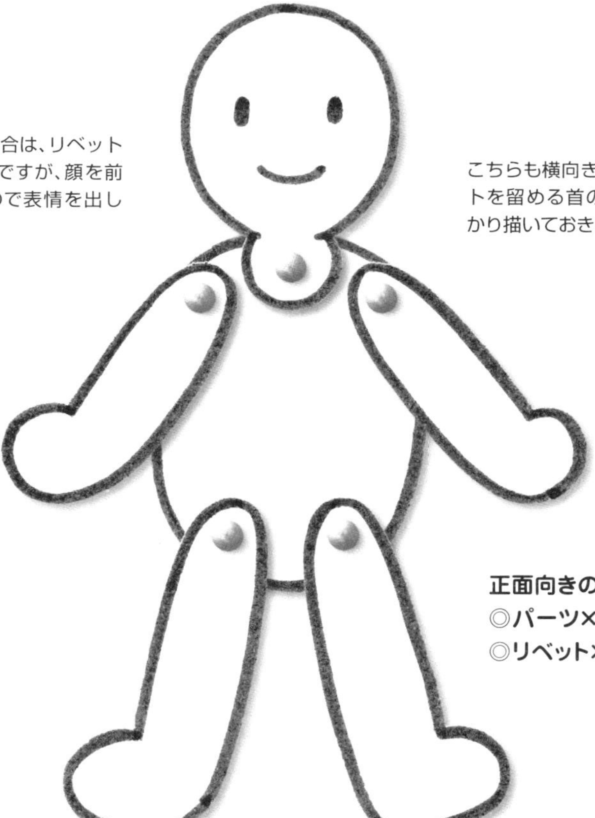

正面向きの人基本形
◎パーツ×6
◎リベット×5

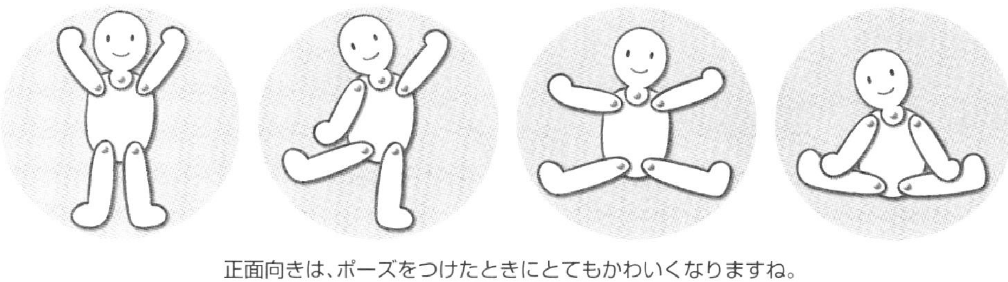

正面向きは、ポーズをつけたときにとてもかわいくなりますね。

この正面向きの人の場合、パーツの重ね方にいろいろな組み合わせがあります。重ねる順番を考えながらパーツを描くといいでしょう。

手と足の両方を胴体の後ろに留めてみました。

頭と足だけ、胴体の後ろに留めました。

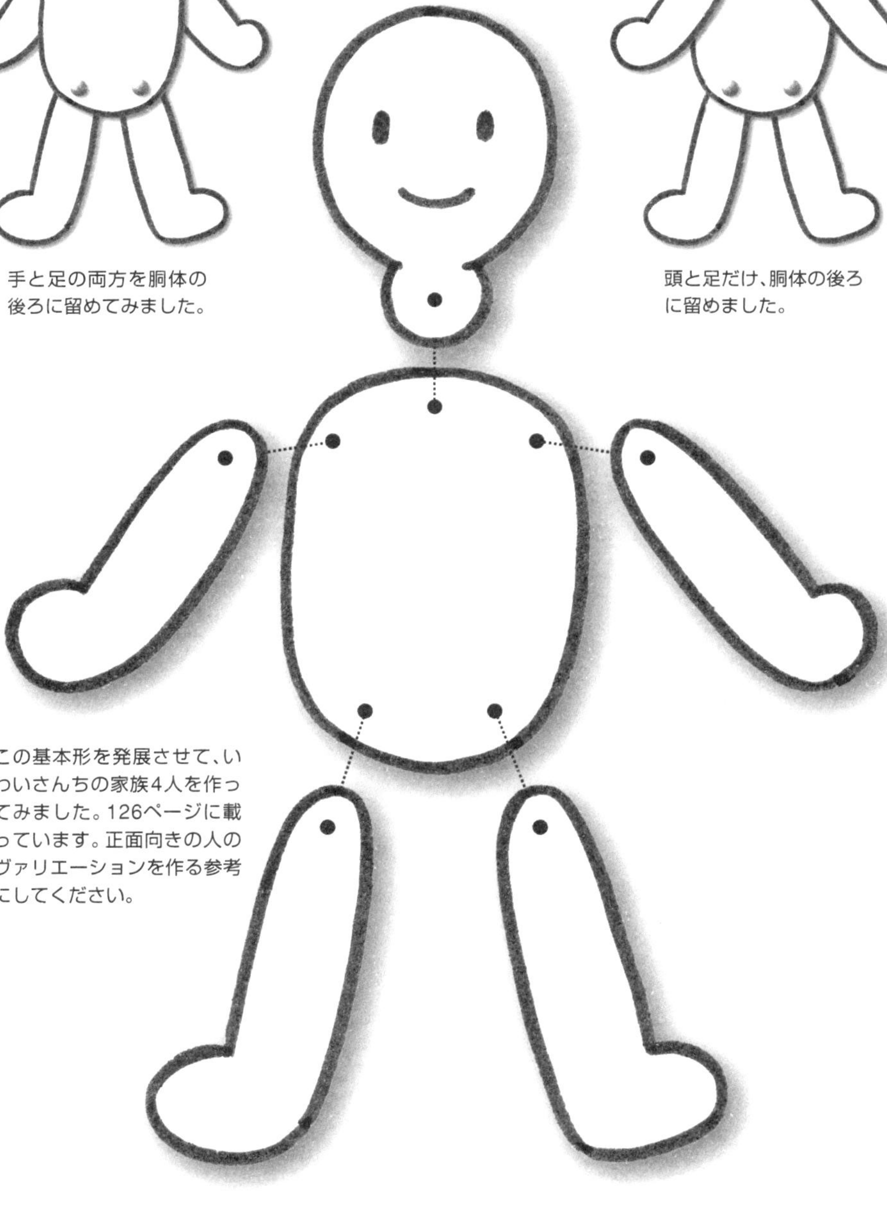

この基本形を発展させて、いわいさんちの家族4人を作ってみました。126ページに載っています。正面向きの人のヴァリエーションを作る参考にしてください。

正面向きの人いろいろ

◎正面向きの人の基本形を応用して、赤ちゃんとクマを作ってみました。
クマのように正面向きが似合う動物も、人と同じように作ることができますね。

同じ基本形から、2つのまったく違ったタイプのものができます。

赤ちゃん
◎パーツ×6
◎リベット×5

赤ちゃんの手足と頭を胴体の後ろ側に留めたほうが、着ているベビー服が自然に見えます。

クマ
◎パーツ×6
◎リベット×5

クマは服を着ていないので、手足も頭も胴体の前に重ねています。

赤ちゃんとクマでは、パーツの大きさも形もずいぶん違いますが、構造は同じですね。

クマと赤ちゃん――クマが人間の赤ちゃんを見つけたらどうするでしょう？ こうしたちょっと意外な組み合わせから、面白いストーリーが生まれてきます。

動物の基本形

◎次は、キリンやゾウなどの動物の基本形です。
人と違って、首やしっぽのパーツが増えています。

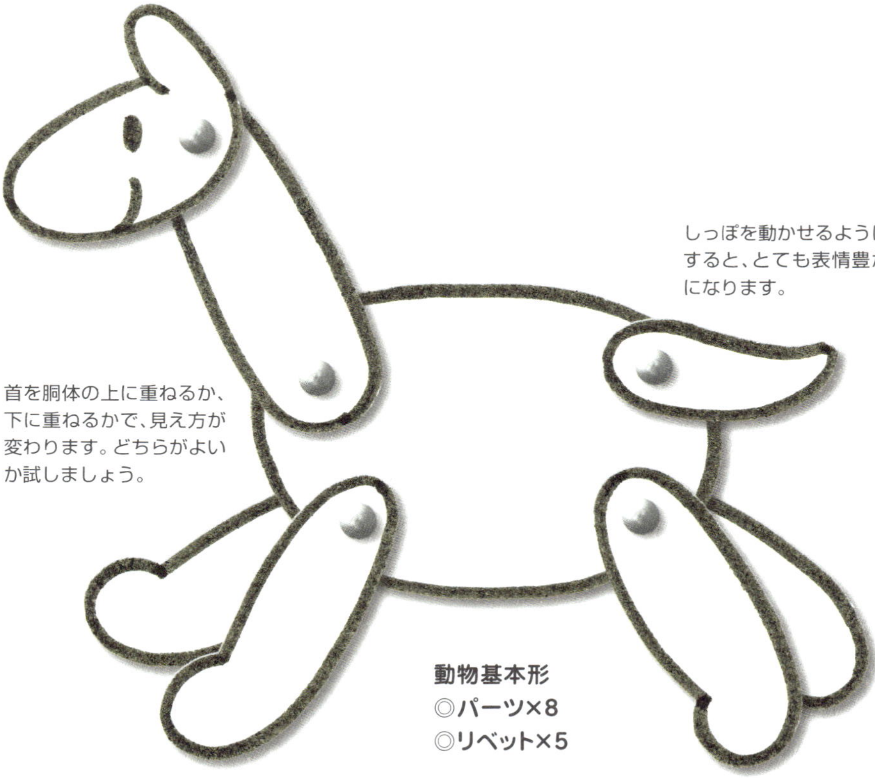

しっぽを動かせるようにすると、とても表情豊かになります。

首を胴体の上に重ねるか、下に重ねるかで、見え方が変わります。どちらがよいか試しましょう。

動物基本形
◎パーツ×8
◎リベット×5

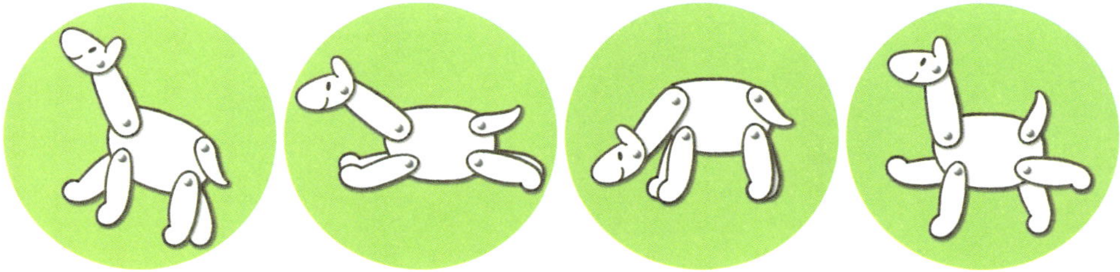

パーツが増えた分、いろいろな動きのポーズをつけることができます。

動物基本形 その2
◎パーツ×6
◎リベット×5

シンプルに足を2本だけ
にしてみました。

動物基本形 その3
◎パーツ×7
◎リベット×5

こちらは、しっぽと胴体を一体化
させたヴァージョンです。

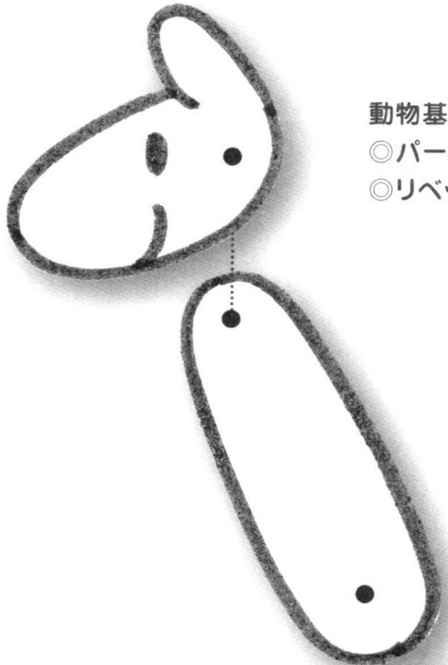

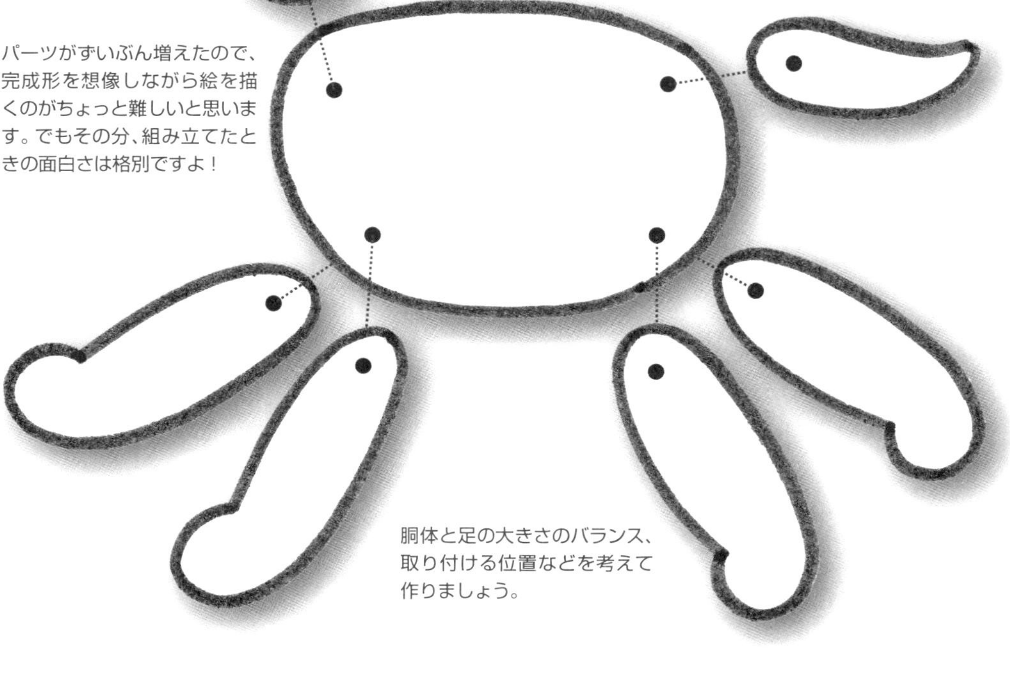

パーツがずいぶん増えたので、
完成形を想像しながら絵を描
くのがちょっと難しいと思いま
す。でもその分、組み立てたと
きの面白さは格別ですよ！

胴体と足の大きさのバランス、
取り付ける位置などを考えて
作りましょう。

動物いろいろ

◎動物の基本形から、いろいろなヴァリエーションを作ってみましょう。
頭や胴体の形、首や足の長さを変えると、いろいろな動物を作ることができます。

ラクダ
◎パーツ×5
◎リベット×3

このラクダは、シンプルに足を2本だけにしてあります。しっぽも、胴体にくっついています。

イヌ
◎パーツ×8
◎リベット×5

イヌに首のパーツはありませんが、その代わりに耳を別のパーツにして動かせるようにしました。

キリンもしっぽが細いので、胴体と一体化させてあります。

キリン
◎パーツ×7
◎リベット×4

キリンといえば、長い首が特徴です。しっかり長く作りましょう。その分、動かすととてもダイナミックです。

カメさん親子

◎甲羅の色がカラフルなカメさん親子です。
自分だけの模様のカメさんを作ってみましょう。

こんなふうに、甲羅の後ろから、くるりと顔を出します。

親ガメ
◎パーツ×7
◎リベット×2

子どもカメ
◎パーツ×3
◎リベット×2

甲羅と足のすきまに下のカメの甲羅をはさむと重ねることができます。いっぱい作ってカメさんをたくさん重ねてみましょう！

親ガメは、頭・足・しっぽをそれぞれ別のパーツで作ってみました。

甲羅→右足→頭（しっぽ）→左足の順に重ねましょう。

甲羅の後ろに頭や足がちゃんと隠れるようにします。

子どものカメは小さいので、頭と前足、しっぽと後ろ足を１つのパーツにしました。

甲羅の模様や色を工夫して、世界に一匹だけのオリジナルのカメさんを作ってみましょう。

ゾウさん

◎鼻から水を噴き出すゾウさんです。
パーツの数が多くてちょっと複雑ですが、いろいろなポーズをつけることができます。

ゾウさん
◎パーツ×9
◎リベット×5

鼻から出る水は、見えないように
鼻と頭の後ろに隠しておきます。

ゾウさんが、水桶から鼻で水を吸い込んで……シューッ!!

水桶
◎パーツ×1

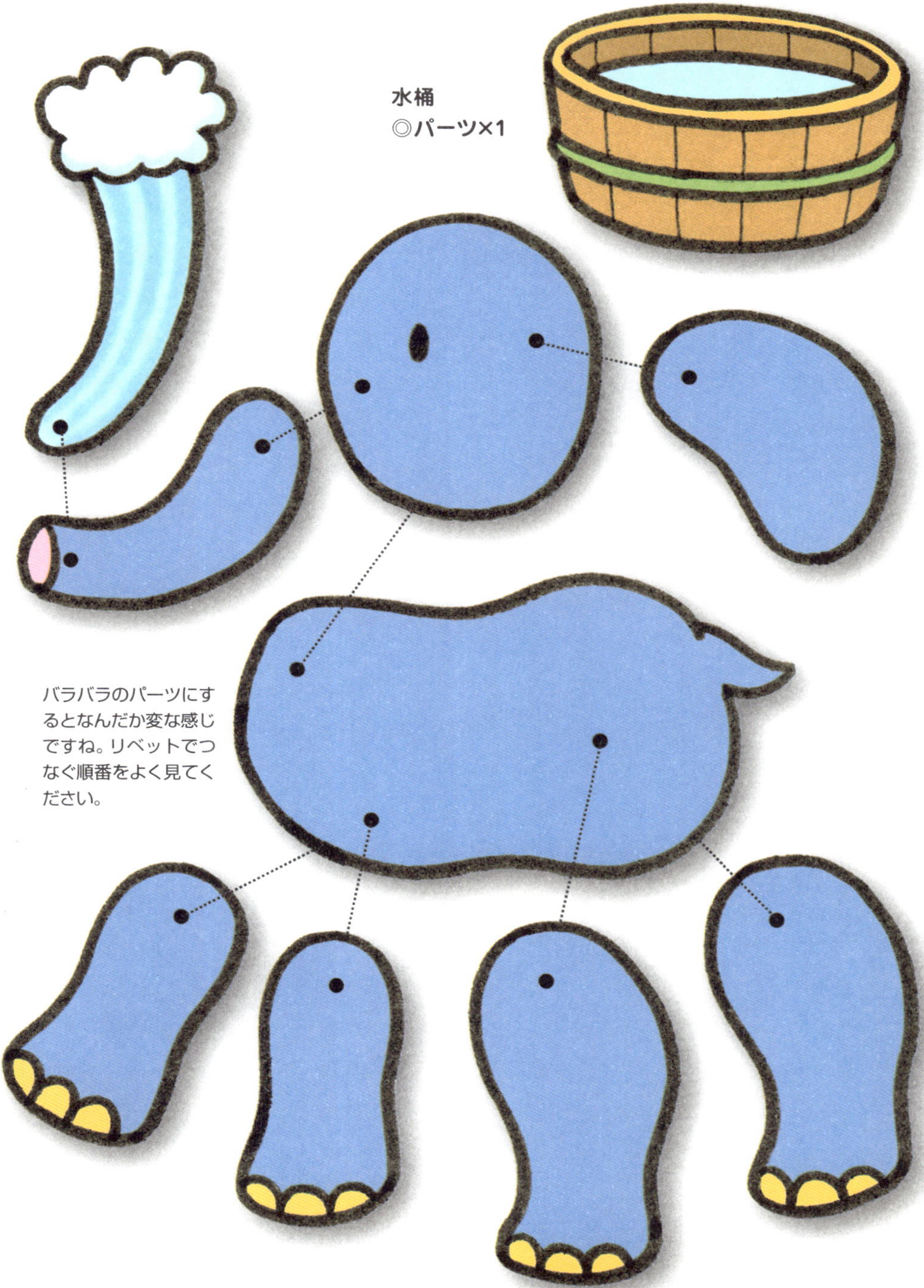

バラバラのパーツにするとなんだか変な感じですね。リベットでつなぐ順番をよく見てください。

リベットくんを撮影しよう ～家の中で

◎手に持って遊ぶだけではない、リベットくんの楽しみ方をご紹介しましょう。
リベットくんをいろいろなものと組み合わせて写真を撮ると、違った面白さが出てきます。

家の中で、作ったリベットくんと組み合わせると面白くなりそうなものはないか、考えてみましょう。気に入っている小物と一緒に写真を撮ると、リベットくんがますますイキイキして見えますよ。

テーブルの上に水の入ったグラスを置いて、そこにゾウさんが立つようにそっと置いて撮影してみました。グラスの中に水を入れているみたいですね。

テーブルの上に置いたり、壁に立てかけて撮影してみましょう。近寄って撮影する場合はマクロモードで撮影するとよいです。

本や文房具、花びんなどとリベットくんを並べると、小さなリベットくんが部屋の中に住んでいるような気分になってきます。

ピアノの鍵盤の上を歩くカメさん親子です。
どんな音楽が聞こえてくるかな?

リベットくんを撮影しよう ～屋外で

◎カメラとリベットくんを持って、屋外にも出かけてみましょう！

リベットくんをあちこちに置いて、視線を変えてみると、
普段見慣れている風景が、ちょっと違って見えてきます。

庭のクローバーがきれいだったので、ペンギンさん親子にそれぞれクローバーの花を持たせてパチリ。新しいお話を思いつきそうです。

草花や木の枝にリベットくんを
置いて撮影してみましょう。

お子さんと一緒に、街角
や公園へ、面白い場所を探
しに行きましょう。

家の近くの電柱の根元に、イヌを置いて撮影してみました。
※外で撮影するときは、自動車などに気をつけてください。

ロカちゃんと一緒に作りました

◎パパとロカちゃんで一緒に同じチョウチョのリベットくんを作ってみました。
作っているうちにロカちゃんから新しいアイデアも飛び出します。

一緒に何を作ろうか相談しているうちに、虫がいいね、という話になりました。どんな虫がいいか、パパの古い昆虫図鑑のページをめくっているうちに、きれいな緑色の蝶が目に留まりました。この蝶をふたりでそれぞれ作ることに決定です。

図鑑をよく見ながら、羽のかたちや模様を描いていきます。マーカーでなるべくそっくりに色を塗ります。ロカちゃんもがんばって描きました!

絵が描けたら、ハサミで切り抜いて組み立てます。ロカちゃんも、切って穴をあけて組み立てて、と今では何でもひとりでできるようになりました。

ロカちゃんのチョウチョができあがりました! 羽を動かして遊んでいるうちに、「あ、いいこと考えた!」と、何か思いついたようです。

そしてすぐ、木の枝と葉っぱを作り始めました。何をするのかな?

木の次は、イモムシとさなぎを描き始めました。「葉っぱの上のたまごから、イモムシが生まれてさなぎになってね…」――なるほど、それはいいアイデアだね!

チョウのからだ
アゲハの一生

ロカちゃんは、図鑑に載っていた「アゲハの一生」という絵を見ながら、イモムシやさなぎを描きました。チョウチョの羽をたたんで中に入れられるように、さなぎの裏側にはもう一枚厚紙をリベットでつけてあります。

金魚鉢

◎ここからは道具や乗りものなど、身の回りにあるものの作り方をご紹介します。
まずは涼しげな金魚鉢を作ってみましょう。

金魚鉢
◎パーツ×4
◎リベット×3

金魚の形をよく見てください。
実は向きを変えられるように、
上下対称形に描いてあります。

金魚さん、あっちを向いたり

こっちを見たり……

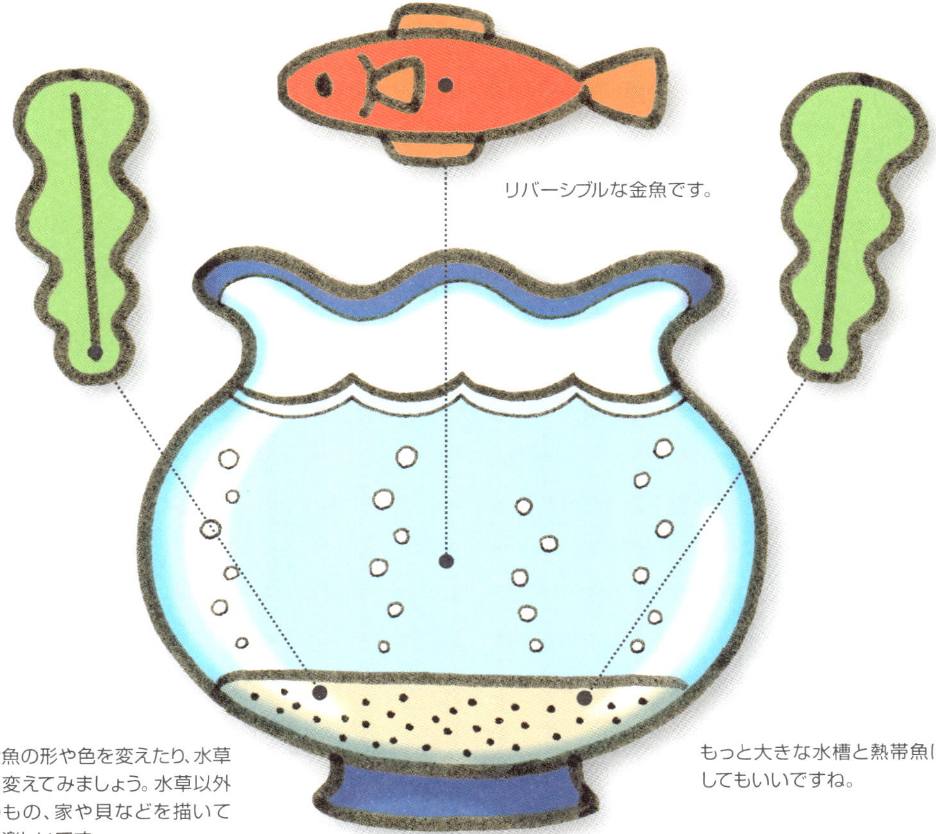

リバーシブルな金魚です。

金魚の形や色を変えたり、水草を変えてみましょう。水草以外のもの、家や貝などを描いても楽しいです。

もっと大きな水槽と熱帯魚にしてもいいですね。

金魚さん、寝ちゃったみたい……

あっ、起きた!

花とジョウロ

◎ジョウロで水をかけると、かわいい花が咲く植木鉢です。
いろいろな花を作って並べましょう。

プランター
◎パーツ×7
◎リベット×3

ジョウロ
◎パーツ×2
◎リベット×1

花 ◎パーツ×4
◎リベット×3

チューリップ
◎パーツ×3
◎リベット×1

小さな芽に水をやると…　葉が伸びて…　チューリップが咲きました!　こちらは3段階に伸びます。

ジョウロの水は、くるりと
回すと、ちょうどジョウロ
自体に隠れる形になっています。

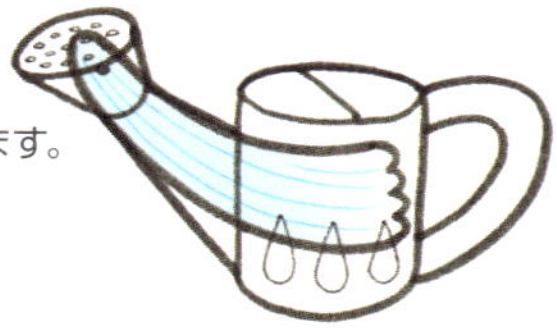

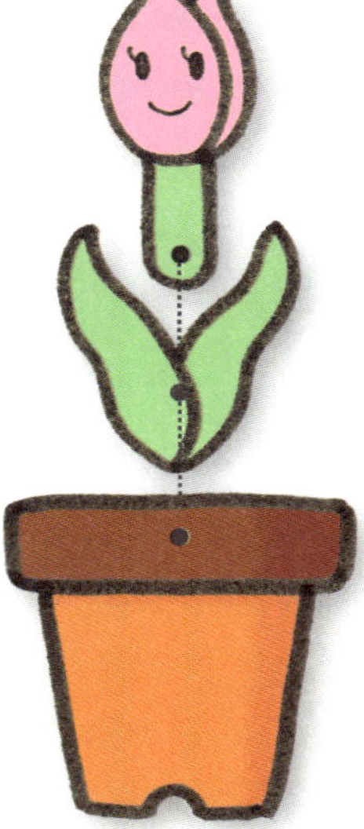

チューリップの葉の下側
を、少しだけ植木鉢から
はみ出させると、芽にな
ります。

花も、葉っぱも植
木鉢にちゃんと隠
れる大きさに作る
のがポイントです。

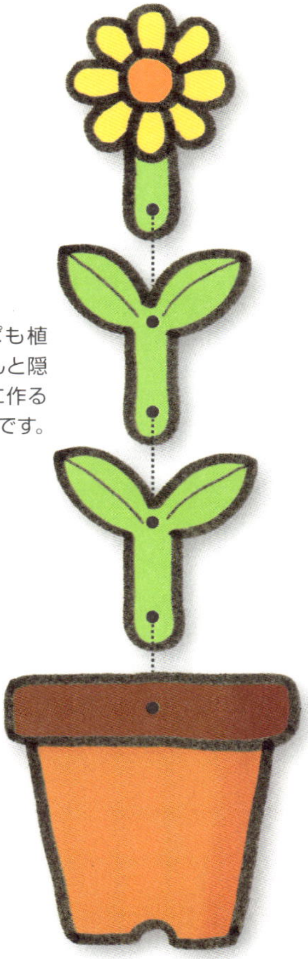

食べもの・日用品など

◎身の回りのものをいろいろ作ってみましょう。
食べ物や食器、文房具、電気製品など、家にあるものを思い出しながら作りましょう。

ホットケーキ

ショートケーキ

オムライス
◎パーツ×2
◎リベット×1

目覚し時計
◎パーツ×3
◎リベット×1

ティーカップ
◎パーツ×3
◎リベット×2

ティーポット
◎パーツ×2
◎リベット×1

扇風機
◎パーツ×2
◎リベット×1

掃除機
◎パーツ×6
◎リベット×5

はさみ
◎パーツ×2
◎リベット×1

鉛筆
◎パーツ×1

セロテープ
◎パーツ×2
◎リベット×1

電気スタンド
◎パーツ×2
◎リベット×1

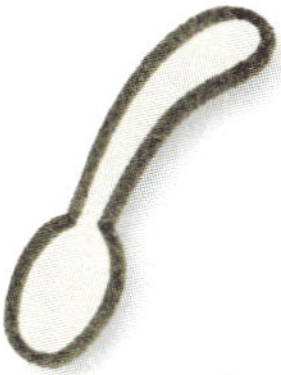

ティーカップは、
スプーンが中に
入るように、カップの
部分が２枚重ねに
なっています。

こうした小物が増えてくると、
リベットくんの遊びもいっそ
う盛り上がります。

掃除機に顔を描いたら、急に生きて
いるように愛らしく見えてきました。
ものを擬人化することで空想が広
がりそうです。

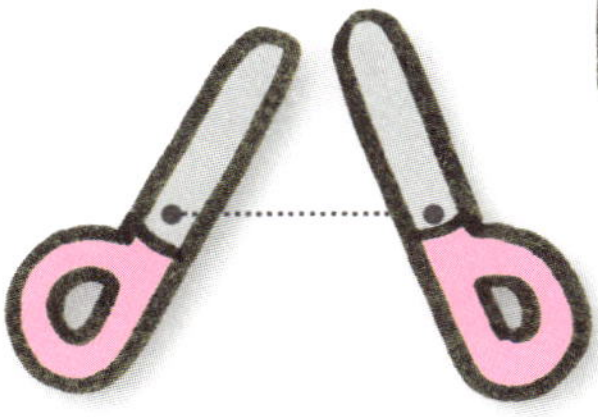

もっとつくろうリベットくん
身の回りのもの

乗りもの

◎自動車や電車などの乗りもの作りに挑戦してみましょう。
　これまでに作ったペンギン家族や人を乗せられるように作ります。

乗せたい人や動物の大きさに
合わせて絵を描きます。

自動車
◎パーツ×3
◎リベット×2

タイヤは連結しやすいように、少しゆるめにリベットで留めます。

前の自動車のタイヤに
引っ掛けるためのフックです。

車
◎パーツ×4
◎リベット×2

車をたくさん作ってつなぐと楽しいですよ!

飛行機
◎パーツ×5
◎リベット×2

飛行機や電車の上に
人や動物を座らせて
みましょう。

電車4両分
◎パーツ×15
◎リベット×8

電車も、車と同じようにフックで連結します。

部屋とインテリア

◎人や動物たちの部屋を作ってあげましょう。
どんな家に住んでいるか、部屋には何が置いてあるか想像してみましょう。

ペンギンさんちのリビングルーム
◎パーツ×11
◎リベット×7

ペンギンさんたちの大きさにだいたい合わせて、イスやテーブルを作ってみました。

長方形の台紙の上に部屋の絵を描き、
家具やインテリアは別のパーツとして描いてリベットで留めます。

イスやテーブルなどは、自由に配置できるように、リベットで留めずに部屋の上に置くだけでもいいですね。

リビングルーム以外にも、キッチンやベッドルーム、バスルームなど、部屋をたくさん作るととても楽しく遊べます。自分の家を参考にして作ったり、インテリアを家にあるものとそっくりに描くと愛着がわきますよ。

パン屋さん ◎パーツ×26 ◎リベット×15　おいしそうなパン屋さんです。がんばれば、こんなお店も作れますよ。

さかな屋さん ◎パーツ×19 ◎リベット×15

いらっしゃい！ 新鮮なさかながいっぱいだよ！

リベットくんで絵本を作ろう

**◎お子さんと一緒に遊んでいて、面白いストーリーが生まれたら、
デジカメを使って絵本を作ってみるのはどうでしょう？**

絵本や紙芝居のように、ストーリーに合わせて展開していく絵を何枚も描くのはなかなか大変ですが、リベットくんを主人公にして、ポーズを変えて演技をさせたり、いくつかのリベットくんを組み合わせたものをデジカメで撮影すれば、簡単にお話のひとコマを作ることができます。

リベットくんを床やテーブルの上に並べて、デジカメで撮影してみましょう。

スキャナー付のプリンターがあれば、リベットくんを並べてカラーコピーを取ってもいいですね。

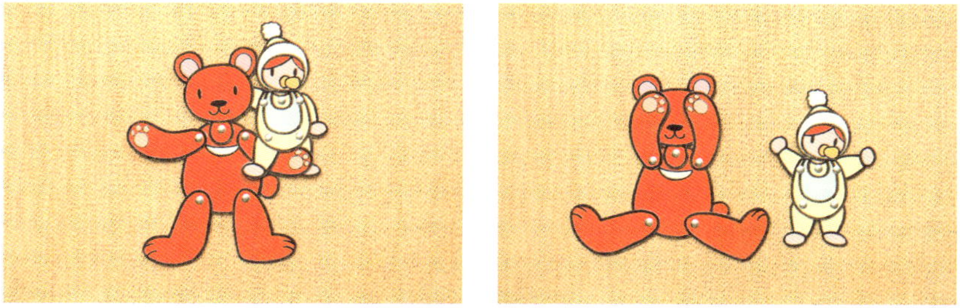

ストーリーに合わせて、ポーズをつけて撮影しましょう。

撮影したデジカメ写真を、パソコンやプリンターを使ってプリントします。

プリントした写真をノートなどに貼り付けて、文章を書きましょう。

クマとあかちゃんは、いっしょにダンスをするうちにとてもなかよしになりました。

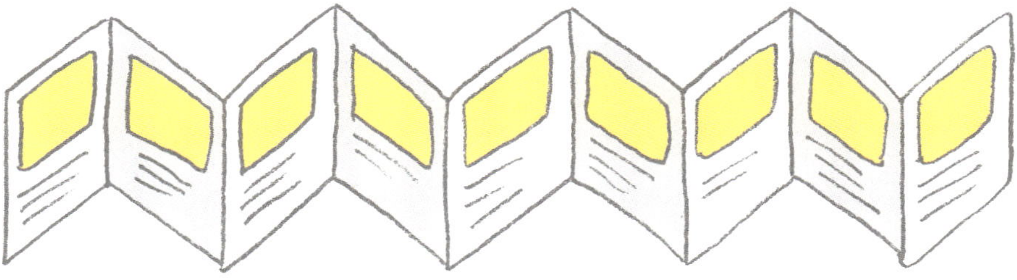

こんなじゃばら式の絵本にしても楽しいです。

子どもたちの考えたストーリー、ユニークな発想をこうした形で残してみてはいかがでしょうか?

アドヴェントカレンダーというのをご存知ですか？ 12月の頭からクリスマスまで、毎日窓の中からお菓子が出てくる、子どもたちが大好きなカレンダーです。2006年のクリスマス、ロカちゃんのために、このアドヴェントカレンダーを自作して、中にはお菓子と一緒にクリスマスをモチーフにしたリベットくんを入れることにしました。これからご紹介するのは、そのときに作ったリベットくんによるクリスマスストーリーです。リベットくんを使った絵本の例としてお楽しみください。

リベットくんのクリスマスえほん

ナリちゃんとサンタさん

いわいとしお

01

ことしもクリスマスが ちかづいて
サンタさんは プレゼントのじゅんびで おおいそがしです。
サンタさんの もっているものが なにか わかりますか?
それは「サンタてちょう 」と「トナカイベル」です。

02

「サンタてちょう」には、せかいじゅうの こどもたちの なまえと
ほしいプレゼントが ぎっしり かいてあります。
「トナカイベル」は、トナカイを よぶときにならす ハンドベルです。
どちらも サンタさんの とてもだいじなもの なのです。

03

そして、こちらのちいさな おんなのこは サンタさんのアシスタント。
なまえは ナリちゃん といいます。
ナリちゃんは サンタさんの まご なんです。

04

あっ、トナカイのきょうだい、トナとカイが やってきました。
2ひきは まだちいさいので ソリをひっぱる とっくんちゅう。
クリスマスまでに ちゃんとプレゼントを はこべるように なるでしょうか?

05

「さあ、これからクリスマスまで おおいそがしだわ!
わたしひとりじゃ とてもぜんぶできないから、おてつだいさんを つくらなくちゃね」
ナリちゃんは、スコップで ゆきをあつめて まあるく かためていきます。

06

きれいな ゆきだまが 3つできたところで、ナリちゃんは サンタさんを よびました。
「ねえ、おじいちゃん、このゆきだまを ゆきだるまに へんしんさせて!」
「よしきた! わしに まかせとけ」

07

サンタさんが まほうをかけると、ゆきだまが ゆきだるまになって うごきだしました。
ナリちゃんは 3にんの ゆきだるまに それぞれ
ユキオ、ユキヒコ、ユキノスケと なまえをつけて どうぐを わたしました。

08

そこへやってきたのは トナとカイのママ、トナリさんです。
トナリさんは、ペンギンのくにから ソリいっぱいの こおりをつんで かえってきたのです。
「さあ、てつだってちょうだい！」 ナリちゃんは ゆきだるまたちに いいました。

09

ゆきだるまのユキオが、スコップで こおりを はこびます。
そして、ユキヒコが ノコギリで こおりを ギコギコきって
さいごに ユキノスケが、ノミとトンカチで こおりをけずって かたちを ととのえていきます。
だんだんといろいろな かたちの こおりが できていきました。

10

「このこおりを くみあわせて おもしろい かたちをつくりましょう！」
ゆきだるまたちと ナリちゃんは、こおりをつみあげて うまのちょうこくを つくりました！
ナリちゃんが うまのせなかに ヒョイッと とびのると…「ヒヒヒーン！」
なんと うまが うごきはじめ、ゆきのつもった のはらを パカッパカッと はしりまわりました。

11 つぎに つくったのは こおりのロボットです！
「ロボットさん、わたしを もちあげて！」「ガゴゴゴゴ」
ナリちゃんが めいれいすると、ロボットは かたうでに ナリちゃんをのせて
ドシンドシンと あるきだしました。

12 「たのしそうじゃのう！」サンタさんが ようすを みにきました。
「おじいちゃんも いっしょに こおりで あそぼうよ！」
「それじゃ、わしは こおりのメガネに てぶくろ、そして こおりのクツで スケートじゃ!!」
サンタさんは まるいこおりを あしにはめると、スイスイーと ゆきのうえを すべりました。

13 ユキオたちは サンタさんのまねをして、こおりをあしに はめてみました。
きゅうにノッポになった 3にんは、「わーい、ずっとはやく あるけるよ！」
とおもしろがって、ずんずんとあるいて そのままどこかに いってしまいました。

14 「もう、みんな しかたないわね！」と、ナリちゃん。
「じゃあ、こんどは おんなのこの ゆきだるまさんを つくりましょ」と
また サンタさんの まほうで、ゆきだまから ユキナ、ユキコ、ユキエの 3にんの
おんなのこの ゆきだるまを つくりました。

15

おんなのこの ゆきだるまたちは、きょうりょくしあって ケーキをつくりはじめました。
ユキナが たまごと こむぎこと さとうをまぜて、ユキコが スポンジケーキに やきあげます。
ユキエは クリームをぬり、イチゴをあいだに はさんでいきます。
おいしそうなケーキが いくつも できあがってきました!

16

3にんはスポンジケーキを つみかさねて、とても せのたかいケーキを つくりました。
「わあすごい! でも、こんなおおきなケーキ、どうやってかざればいいかなー」
ナリちゃんが そういったとき、ちょうど そらに ながれぼしが いくつもながれました。
「あっ、ながれぼし!…トナリさーん、ながれぼしをつかまえて!!」

17

トナリさんは すかさず そらへとびあがり、
ながれぼしを パクッとくわえて おりてきました！ さすがトナリさん！
「ありがとう トナリさん！ さあ、このながれぼしを ケーキにかざりましょう！」
「わーきれい！」

18

ところが、しばらくすると ながれぼしの ねつで クリームがとけ
ケーキが かたむきはじめました。
「まあたいへん！ どうしましょう!!」

19

そこへ ちょうどユキオたちが もどってきました。
「たすけてー！」ナリちゃんが さけぶと、3にんは おおいそぎで
こおりを はこびはじめました。

20

みんなは こおりをつかって、ケーキがはいる おおきな れいぞうこを つくりました。
ながれぼしの ねつが ひやされて、これならケーキも だいじょうぶです。
「やったー！ ありがとう！」

21 すてきなケーキが かんせいして、いよいよ こどもたちへの プレゼントの じゅんびです。
サンタさんが サンタてちょうに かかれた こどもたちのなまえを よみあげると
ナリちゃんが ひとつずつ てぎわよく プレゼントを はこに いれていきます。
「ナリちゃん、プレゼントのじゅんび ごくろうさま！ よし、じゃあトナカイたちを よぼう！」

22 サンタさんは チリンチリンチリン、とトナカイベルを ならしました。
やってきたのは おおきなオスのトナカイ、トナとカイのパパ、トナカさんでした。
「あれ？ もうプレゼントがのっているわ！」
ナリちゃんは トナカさんのソリに のっている あかいはこに きがつきました。

23

「ふふふ、それは ナリちゃんへの クリスマスプレゼントだよ。あけてごらん！」
「えっホント？ わたしのプレゼント！？」ナリちゃんが いそいで はこをあけると…
入っていたのは 赤いトナカイベルでした！
ナリちゃんが ベルをためしに チリンとならすと、すぐにトナとカイが やってきました。

24

「ナリちゃん、ことしから トナとカイも プレゼントを はこぶんだよ。
これから 2ひきの めんどうは ナリちゃんが みてくれるね？」
「いいわよ！ まかせて！」ナリちゃんは うれしくて たまりません。
これまでは おるすばんだった ナリちゃんも、はじめてプレゼントを くばりに いけるのです。

25

「さあ、でかけよう!」
サンタさんと ナリちゃんは トナカさんのソリに のりこみました。
トナカさんが ゆきのうえを かけだすと、すぐにソリは フワリと そらに うきあがりました。

ふたりが　トナカイベルを　チリリリンと　ならすと
そのあいずで　プレゼントを　いっぱいつんだ　トナリさんが　とびあがり
そのうしろに　トナとカイが　つづきました。
ふたりと　4ひきは、クリスマスのよぞらを　こどもたちのいえへと　とびたっていきました。（おしまい）

これは、仕事でオーストリアのリンツという街に行ったときにロカちゃんに買ってきたポンチョ。民族衣装や工芸品を売るお店で見つけたので、たぶんその地方の伝統的なデザインなのではないでしょうか? 実は先ほどのお話の主人公、ナリちゃんは、この赤いポンチョを着たロカちゃんがモデルなのでした。

くふうしてみようリベットくん
しかけのあるものに挑戦

ガチャポン

**◎ここからは、今までよりさらに複雑なもの、しかけのあるものをご紹介します。
まず最初は、子どもたちの大好きなガチャポンです。**

一時期、ロカちゃんがガチャポンをやりたがって困ったことがありました。そのときに、このリベットくんのガチャポンを作ったら大喜び。ずいぶん遊んでくれました。

ガチャポン本体
◎パーツ×2
◎リベット×1

本物と同じように、コインを入れて、ダイヤルをくるりと回します。

カプセル1個
◎パーツ×2
◎リベット×1

カプセルを１つランダムに選んで、下の取り出し口から、出してあげます。さあ、中には何が入っているかな？

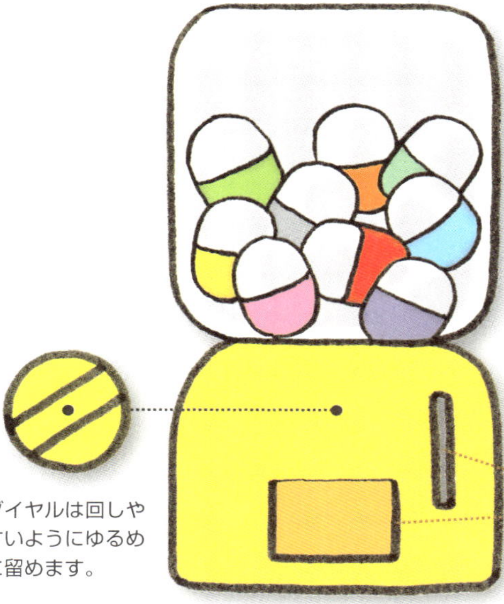

リベットで留める部分が小さくなりすぎないようにします。

ダイヤルは回しやすいようにゆるめに留めます。

コインを入れる穴は、カッターナイフでコインよりも大きめに切り抜きます。カプセルの取り出し口も、カッターナイフで切れ込みを入れましょう。

カプセルの中に、いろいろなものや動物を描いてみましょう。

なるべく意外なものが出てくるようにすると子どもたちは喜びます。

くふうしてみようリベットくん
しかけのあるものに挑戦

野菜畑

◎おいしそうな野菜が育つ野菜畑を作ってみましょう。
野菜を引き抜くと後ろから虫や動物たちが顔を出すおまけつきです。

野菜畑
◎パーツ×11
◎リベット×6

野菜畑で野菜がすくすく大きくなっています。それぞれ、何という野菜か言えるかな？

さあいよいよ収穫だ!
ひとつずつていねいに引き抜こう。

野菜を引っこ抜いたら…あれれ? いろんな虫や動物たちが隠れていたよ! 何がいたかな?

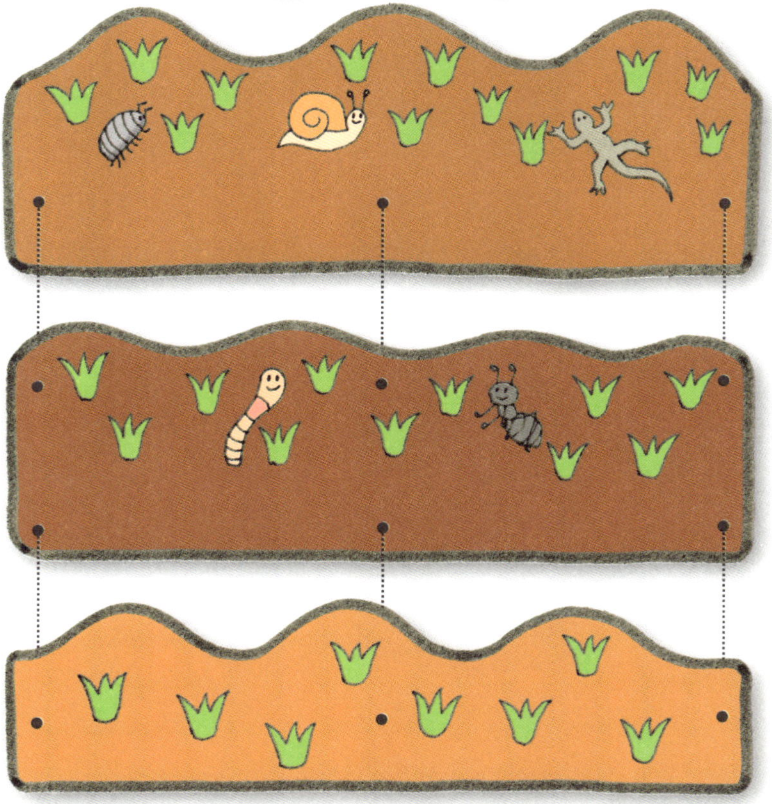

畑は、このように3つのパーツを重ねてリベットで留め、間に野菜を差し込めるようにします。

野菜の後ろに隠れるように、カタツムリやミミズなどを描いておくと、野菜を抜いたときに楽しくなりますね。

いろいろな野菜を描いて切り抜き、畑に植えましょう。

くふうしてみようリベットくん
しかけのあるものに挑戦

ふくろう先生

◎森のお医者さんのふくろう先生と助手のミミズクくんです。
ふくろう先生の後ろの円盤をくるくる回すと、喜んだり、困ったりと表情が変わります。

ふくろう先生
◎パーツ×4
◎リベット×3

助手のミミズクくん
◎パーツ×3
◎リベット×2

くすりになる葉っぱや木の実

くすり袋

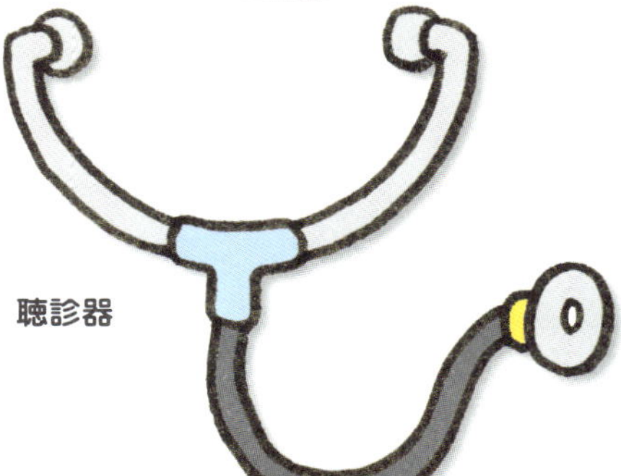

聴診器

体温計

カバン
◎パーツ×2
◎リベット×1

めがねの内側は、
カッターナイフで
穴をあけま
しょう。

カバンは１ヶ所だけリベットで留めて、くるりと回すとカバンの中が見えるようにします。

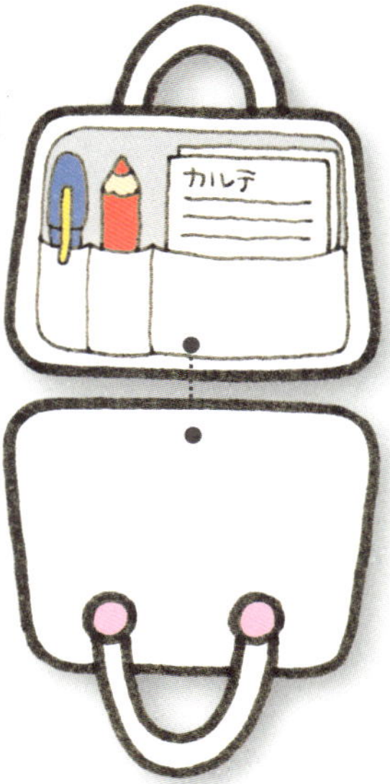

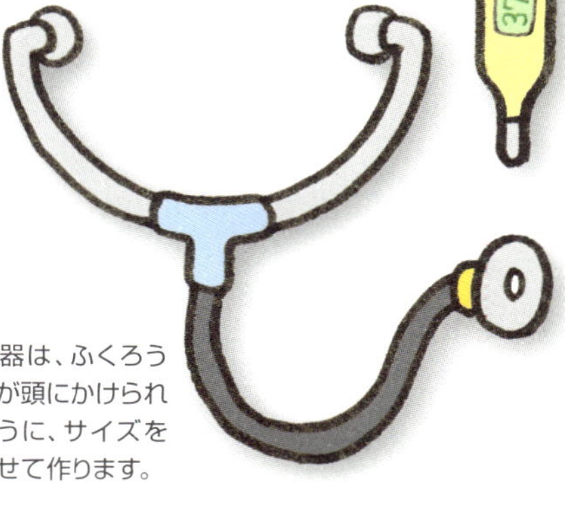

円盤に、いろいろな形の目を描きましょう。まず何も描いてない白い円盤を作り、ふくろう先生を組み立てます。それから、めがねの穴に合わせて、円盤をずらしながら目を描くと、ぴったり合わせることができます。

聴診器は、ふくろう先生が頭にかけられるように、サイズを合わせて作ります。

せんせい、
きのうから あかちゃんの
ぐあいがよくなくて…
どれどれ…
おい、ミミズクくん
たいおんけいをだして！
はいっ！

ちょっとねつが
あるねえ
じゃあ、つぎは
ちょうしんき
はい、ただいま！
カルテ

これは、カゼの
ひきはじめだね…
どうでしょう…
バブブー
ちょっと
しずかにしててね

きのみとはっぱを
まぜた、よくきく くすりを
だしておきましょう!
ありがとうございます!
すぐになおるよ
よかった…
くすり

くふうしてみようリベットくん
しかけのあるものに挑戦

リンゴの木

◎小鳥たちが住んでいるリンゴの木です。
作るのはちょっと大変ですが、挑戦してみてください。

リンゴの木セット
◎パーツ×22
◎リベット×12

リンゴや小鳥たちを葉っぱや枝にはさんで留めましょう。葉っぱから小鳥が少しだけ顔を出すようにするとかわいいですよ!

小鳥たちは、シンプルに胴体と羽、
2つだけのパーツで作りました。

枝や葉っぱの取り付け方、
動かし方で、木にも表情が
出ます。

ぼくはリンゴのき
だれかあそびに
こないかなあ…

あっ、ことりさんが
やってきた！
こっちからも！

けっこんするんだね…
おめでとう!
リンゴをプレゼント
するよ!

3びきもあかちゃんが
うまれたんだ!
いっしょにあそぼう!

くふうしてみようリベットくん
しかけのあるものに挑戦

グリーティングカード

◎お誕生日やクリスマスのグリーティングカードをリベットくんで作ってみましょう。
手作りでしかけのあるリベットくんのカードは、きっと喜んでもらえるはずです！

もらった人が最初何かわからないようにたたんで封筒の中に入れておきます。

花とチョウチョの
バースデイカード
◎パーツ×7
◎リベット×3

花の上にチョウチョを乗せたカードです。チョウチョを動かすと、花に書いたメッセージが現れます。

折りたたんだときに、封筒の中に入る大きさに作りましょう。茎と葉っぱも、花の後ろに隠れる大きさに描いてあります。

リベットくんのしくみをうまく使ったカードを考えてみましょう。

◎こちらはクジラ型のバースデイカードです。

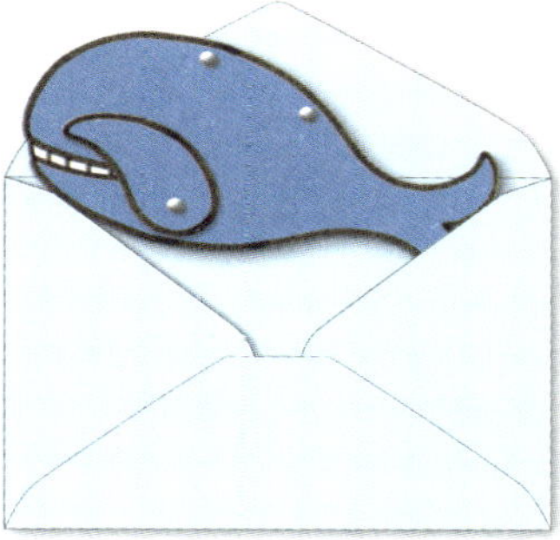

封筒の中には、なるべく小さくたたんだ状態でクジラを入れておきます。

カードを広げると、まずクジラがメッセージの書かれた潮を吹き、さらにその上にはケーキが現れる、というしかけです。

クジラの後ろには、子どもペンギンが顔を出します。代わりにカードをもらう人の絵を描いてクジラに乗せたら喜ばれそうですね。

クジラのバースデイカード

◎パーツ×6

◎リベット×5

アニメーションになったリベットくん

◎リベットくんが、NHK教育テレビの幼児番組『いないいないばぁっ！』の
オープニングアニメーションになりました。

NHK教育テレビで放送中の幼児番組『いないいないばぁっ！』のリニューアルに合わせて、太陽や花、動物などのリベットくんが登場するオープニングアニメーションを制作しました。実物をコマ撮りするのではなく、僕が紙に描いてスキャンしたパーツを、アニメーターの方がコンピュータ上で本物のように組み合わせて動きをつけてくれました。2006年10月に生まれたわが家の次女、ゆゆちゃんも、毎朝このオープニングが始まるとキャッキャッと喜んで見ています。

NHK教育テレビ『いないいないばぁっ!』
オープニングアニメーション
●演出・キャラクターデザイン・原画　岩井俊雄
●アニメーション　木下洋子（スリー・ディ）
●音楽　作詞◆もりちよこ／作曲◆佐藤直紀
●プロデュース　藤森康江（NHKエデュケーショナル）
●制作　NHK

デジカメでアニメーションに挑戦！

◎自由にポーズを変えられるリベットくんを、ちょっとずつ動かしながら
デジカメで撮影して、簡単なアニメーションに挑戦してみましょう。

1

デジカメを三脚にしっかり固定をしてください。そしてリベットくんをテーブルなどの台に置いて、ちょっとずつポーズを変えながら撮影をします。

2

デジカメは撮影した画像をすぐに液晶画面で確認できますね。そこで撮影した画像を連続的にコマ送りで再生すれば、アニメーションのように動かして見られます。

撮影した画像の再生に時間がかかり、うまく動いているように見えない場合は、低い解像度で撮影してみてください。

3

撮影した画像をパソコンにコピーすれば、大きな画面で動かしてみることもできます。デジカメ写真用ソフトで、画像を順番に再生して見てみましょう。

人と動物の基本形をそれぞれ16コマの動きにしてみました。
右上から下へ縦方向に順に見ていってください。

壊れたリベットくんは直します

リベットくんは、遊んでいるうちに壊れます。わが家でも、ロカちゃんが小さな頃は、よだれでマーカーの色が流れたり、何度も動かすうちに動物の足などの細い部分がちぎれてしまったりして、そのたびに直していました。

でも、最初はもっともっと簡単に壊れてしまうのではないか、と内心思っていました。なにせ紙でできているのですから、手で動かしているうちにすぐに汚れたり破れてしまってもおかしくありません。でも、ロカちゃんがあんなに熱心に遊んでくれているのに、不思議なほど壊れにくいなあ、というのが実感でした。

これは僕の想像でもあるのですが、リベットくんはパパの手作りの、それもロカちゃんの目の前で一緒に作ったおもちゃです。ロカちゃんは小さいながらに、他のおもちゃとは違うもの、という意識でリベットくんを大事にしてくれていたのかもしれません。それでもしかたなく壊れてしまったところもありますが、例えばラクダの足が切れてしまったら、「痛そうだから直してあげて！」とパパのところに持ってきていました。遊んでいるうちに、それぞれのリベットくんに愛着がわき、また、紙は破れるものという認識がいったんできれば、その分大事に扱うようになってくれるのでしょう。大人がうるさく言わなくても、自然と大切なもの、壊れやすいものを大事にする気持ちを学んでい

一番最初に作ったカンガルーは何度か壊れて、そのたびに足を直し、赤ちゃんを取り替え、色を塗り直しています。ずいぶん味が出てきました。

ってくれたのではないのでしょうか。

最初の頃に作ったリベットくんは、4年以上が経ってさすがにずいぶんくたびれてきました。作った頃に撮影したデジカメ写真と比べると、かなり色もあせてきているようです。でも、その古くなったリベットくんが、またいいのです。色あせても、うす汚れても、破れて直してあっても、そのことがすべて、ロカちゃんがどれだけの時間をかけてリベットくんと遊んでくれたか、を物語る勲章のように感じてうれしくなります。何年か経つうちに味が出てきたのを見て、ますます紙のおもちゃならではの良さを感じるようになってきました。

買ってきたおもちゃが壊れても、直そうという気持ちにはなかなかなりません。最近のハイテクおもちゃではなおさらです。でもリベットくんは、もともと自分たちで作ったもの。壊れたパーツを取り替えたり、色を塗り直したりするのも簡単です。古くなっても、自分で作った、世界でひとつしかないものと思うと捨てられません。ボロボロになったリベットくんひとつに、ロカちゃんと一緒に考え、作り、遊んだ記憶がどれだけ詰まっていることでしょう！

こうして考えると、子どもたちが手で遊んだ時間が刻まれる「紙」という素材で、なおかつ自分たちで一生懸命作ったリベットくんは、既成のおもちゃとずいぶん違います。リベットくんを作り、遊ぶことを通して、子どもたちにその違いの意味が自然と伝わってくれたらなあと思います。

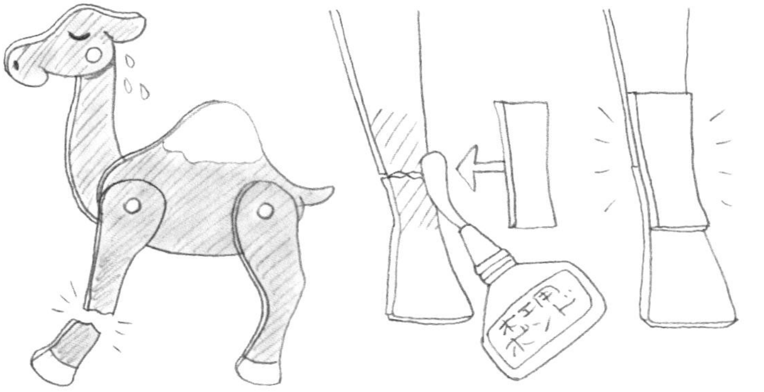

動物の足先など、リベットくんの細い部分は、遊んでいるうちにどうしてもちぎれてしまいがちです。そんなときは、裏側から厚紙を当てて直しましょう。木工用ボンドを使うと、とても強力に、きれいに直せます。

いわいさんちの材料と道具

◎ここでは、わが家でリベットくんを作るのに使っている材料や道具への
ちょっとしたこだわりをご紹介します。

材料◆板目紙

リベットくんを作るのに、わが家では板目紙という紙を使っています。両面とも白くて、表面がツルツルしておらず、マーカーやえのぐがきれいにのる厚紙です。質感も温かみがあって好きな紙です。結構厚いので、細かいところを切るのが大変だったりしますが、そのかわり作ったものは丈夫で、できあがったときの存在感があって気に入っています。僕は東京・吉祥寺のユザワヤで買っています。

材料◆足割リベット

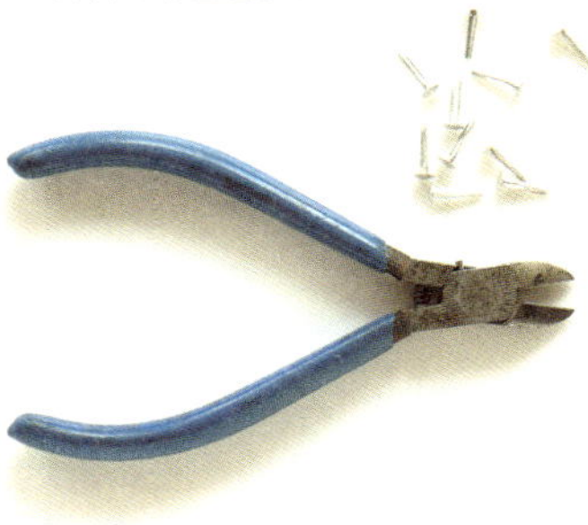

リベットは、東急ハンズ渋谷店のネジ売り場で、アルミ製の「足割リベット No.2」を買ってきて使っています。大きさとアルミの質感がお気に入りです。詳しくは、124ページを見てください。

ただし、リベットの足がちょっと長いので、パーツの穴に通したあと、先を2mmほど残してニッパーで切って曲げています。こうすると危なくないし、パーツがしっかり留まるのです。

道具◆グレーのマーカー

リベットくんのパーツの輪郭を描くのに使っているのはグレーのマーカーです。黒で輪郭を描くより、優しい雰囲気になるのでグレーを使っています。ハサミで切り抜きやすいように、輪郭はかなり太く描いています。

僕が使っているのは、COLOR MASTERというマーカーのDARK GRAY。インクが水性顔料なので乾くと耐水性になり、えのぐなどで色を塗りやすいのです。

道具◆色を塗る画材

初期のリベットくんは、全部マービーブラシマーカー1500というマーカーで色を塗っていました。色がきれいで、太くて塗りやすいのが特徴です。マーカーは乾くのが速いので、すぐにパーツを切って組み立てられるのがよいです。子どもとその場で作りながら遊ぶときには、リベットくんを作るスピードが重要なんですね。

ただ、このマーカーで塗ったものは時間が経つと色あせてくることがわかったので、途中から水彩えのぐも使い始めました。水彩えのぐだと、微妙な色を作ることもでき、広い面を塗るのにも便利です。えのぐはマーカーと違って乾くのに時間がかかるので、冬場はドライヤーなどで乾かしています。

道具◆ハサミ

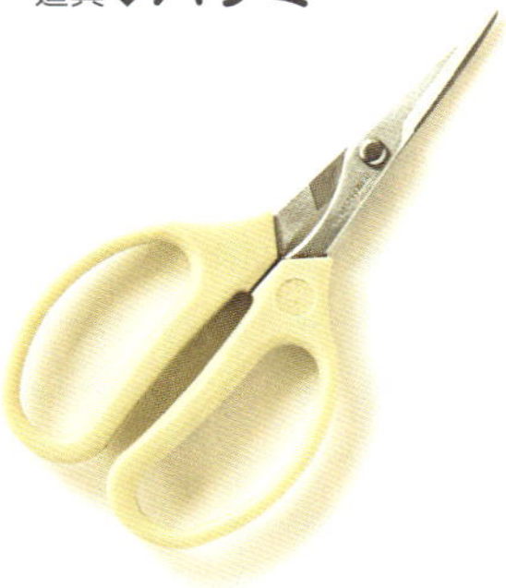

ハサミでパーツを厚紙から切り抜くにはちょっと力が要ります。これまで、いろいろなハサミを試してみて、僕が一番使いやすいと思ったのは、このクラフトチョキというハサミです。持ち手が大きく、刃先が短いので力が入りやすく、厚紙でもかなり楽に切ることができます。わが家では他の工作にも大活躍しています。

道具◆千枚通しと穴あけ台

僕が穴あけに使っている千枚通しです。リベットをちょうど通しやすい大きさの穴をあけるのに、穴あけ用の台もダンボールで作りました。ダンボールを四角く切って4枚重ねたもので、両面テープで接着してあります。

リベットにはこんな種類があります

●八幡ねじの足割リベット

僕が使っているのは、この八幡ねじというメーカーの「足割リベット」です。これを使ったことから「リベットくん」という名前が生まれました。このリベットのアルミの色や質感がとても気に入っています。僕は、東急ハンズ渋谷店のねじ売り場で手に入れました。

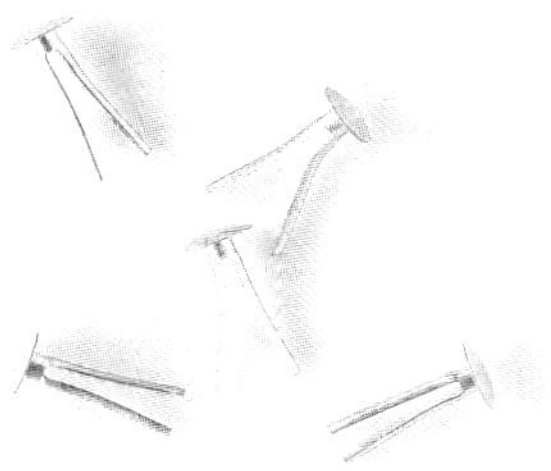

足割リベット No.2　12個入 100円(税込み)

八幡ねじの「足割リベット」には3種類のサイズがありますが、リベットくんで使っているのはNo.2という中間のサイズです。ねじ類が充実しているホームセンターなどで聞いてみてください。

製造元の八幡ねじのホームページからも注文できます。ただし、まとめて購入する必要があります。
（20個入［税込み105円］を５パック単位で注文）

八幡ねじホームページ
http://www.yht.co.jp/

●リベットくん専用リベット

上記の「足割リベット」は足が長すぎるので、わが家では毎回ニッパーで足を切って使っています。そこで、この本の刊行に合わせて、僕が理想とする特別に足の短い専用リベットを作ってもらいました。

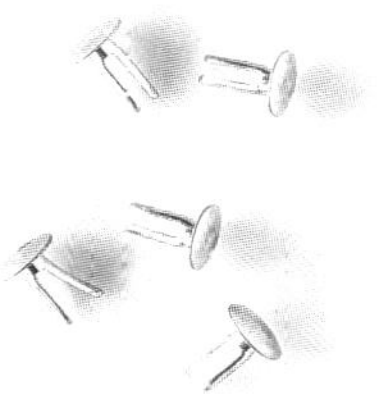

いわいさんちのリベットくん専用リベット
40個入 315円(税込み)
紀伊國屋書店BookWebから購入ができます。
（在庫に限りがあります）
http://bookweb.kinokuniya.co.jp/

●コクヨの割鋲

他にも、真ちゅう製でかなり見た目が大きいのですが、一般的に入手しやすい「割鋲」というものがあります。

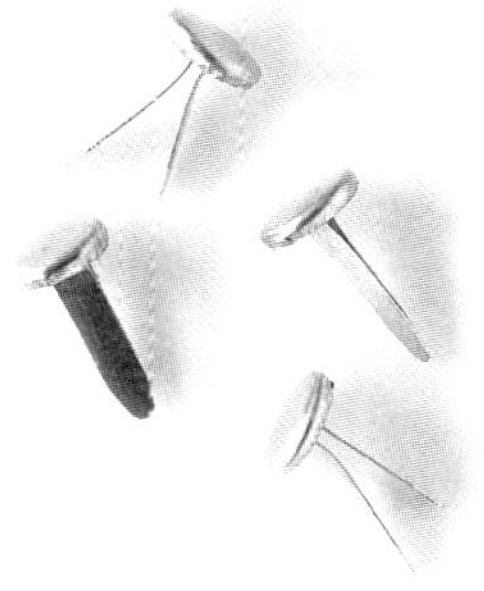

割鋲
コクヨＳ＆Ｔ　品番：ヒン−104 サイズ４号
100本入 420円(税込み)
割鋲には足の長さが13mm、19mm、25mmと3種類ありますが、リベットくんには一番足の短い４号（13mm）がよさそうです。文房具店の店頭にない場合は、取り寄せできるはずです。

コクヨＳ＆Ｔホームページ
http://www.kokuyo-st.co.jp/

※以上の価格および情報は、2007年7月現在のものです。小売店によっては値段が違うかもしれません。

リベットがなくても作れます

◎リベットがどうしても手に入らない、もしくは、リベットがなくても一刻も早く作りたい！ という方には、リベットを使う代わりにこんな方法もおすすめです。

●モールを使う

子どもたちが工作や手芸で使う「モール」が、実はリベットくんにも使えます。「モール」は文具店や手芸店で簡単に手に入りますので、試してみてください。色もいろいろ選べますね。

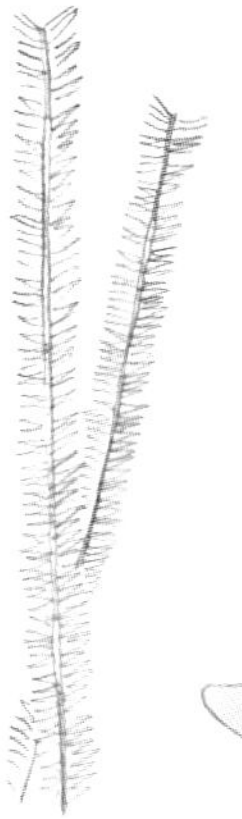

まず、モールの先を危なくないようにくるりと丸めます。そして1cmほどの長さにハサミで切ります。リベットと同じように、パーツにあけた穴に通したら、裏側で先ほどと同じように先を丸めてできあがりです。丸め方を調整して、パーツがうまく動くように留まり具合を加減してください。

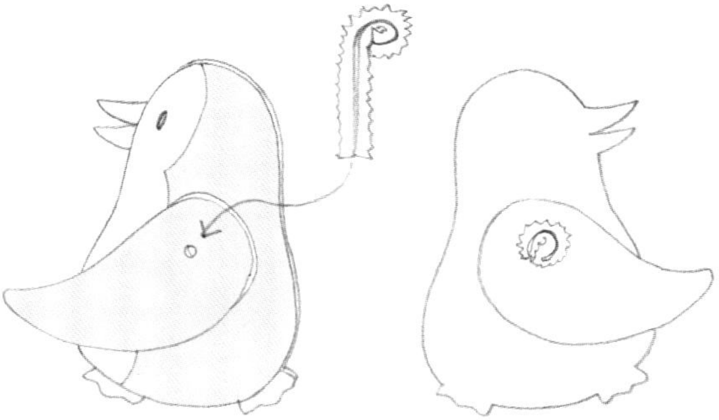

●ヒモを使う

直径2～3mmのヒモを使うこともできます。ヒモの先に結び目を作り、パーツに通してから反対側にもしっかり結び目を作って留めます。弾力性のある素材でできたヒモを使うと、パーツがグラグラしないでしっかり留まります。

おわりに

　昨年出版した『いわいさんちへようこそ!』で初めて紹介したリベットくんが、思いのほか評判になりました。僕の友人や、本を買っていただいた方から、真似して作ってみた、という話をずいぶん聞いたのですが、あるお父さんからはこんなことを言われました。「自分は絵が下手だから、岩井さんちみたいに素敵なのは作れなかったけど、それでも子どもがものすごく喜んだんです。やっぱり親が作ってくれたっていうのが、子どもにはうれしいんですねえ」――それを聞いて、僕も本当にうれしい気持ちでいっぱいになりました。そうです、絵の上手い下手は関係ありません。親が子どもに向き合うのが大事――リベットくんを作りながら、一番僕が学んだのもそのことでした。

　この本をきっかけに、またあちこちで親子の濃密な時間が生まれたらいいなあ、と思います。わが家では、リベットくんを作り始めてから4年半が経ちましたが、ロカちゃんは今でもリベットくん遊びを楽しんでくれています。僕も、ロカちゃんが楽しんでくれる限り、一緒に作り続けていきたいな、と考えています。年齢が変わると、また違った遊び方ができる、

そして僕ら親も一緒に楽しめる――リベットくんとの付き合いは思った以上に長く続きそうです。

この本を作るにあたり、紀伊國屋書店出版部の藤﨑さんと、デザイナーの内田さんに、またしても大変お世話になりました。『いわいさんちのどっちが?絵本』3冊を含め、この1年半に5冊もの「いわいさんち」本に付き合っていただいたおふたりには本当に感謝の言葉もありません。そしてもちろん、いつも最高のエネルギーをもらっている「いわいさんち」の家族、ママの栄とロカちゃん、そして2006年10月に生まれた新メンバーのゆゆちゃんにもありがとう! です。

あと何年かしたら、今度はゆゆちゃんとリベットくんで遊べるかと思うと、今からとても楽しみでなりません。

2007年6月

三鷹市井の頭の自宅
地下の仕事場にて

岩井俊雄

Toshio Iwai's Rivet-Toy
by Toshio Iwai

◎著者　岩井俊雄
◎装丁・本文デザイン　内田雅之（VOLTAGE）
◎編集　藤﨑寛之

いわいさんちのリベットくん

2007年7月31日　第1刷発行

発行所
株式会社 紀伊國屋書店
東京都新宿区新宿 3-17-7

出版部（編集）TEL 03-5469-5919
〒150-8513　東京都渋谷区東3-13-11
ホールセール部（営業）TEL 044-874-9657
〒213-8506　神奈川県川崎市高津区
久本3-5-7　新溝ノ口ビル

印刷・製本　中央精版印刷

ISBN978-4-314-01027-6 C2076
Printed in Japan
定価は外装に表示してあります。